Das Buch

Der cholerische Rico ist ein etwas seltsamer Gorilla mit einer Vorliebe für Frankreich. Er nennt sich lieber „Jean-Pierre", wird aber seinem vornehmen Anspruch aufgrund zahlreicher Wutausbrüche nur selten gerecht.
Als er im Wald ein Rehlein mit französischem Akzent trifft, verliebt er sich und jagt ihm hinterher bis nach Frankreich. Wie er glaubt …
In Wirklichkeit verirrt er sich bei seiner Suche nach Berlin und ist bald umgeben von eingebildeten Hühnern, aggressiven Nashörnern und fiesen Schweinen. Wird Rico nicht nur seine Contenance wahren, sondern auch sein geliebtes Rehlein finden?

Der Autor

Philipp Skoeries wurde 1981 in Landshut, Bayern geboren und lebt in Berlin. Er studierte Professional Teaching and Training sowie Wirtschafts- und Organisationspsychologie. Er beschäftigt sich seit Jahren mit den Themen Lebenslanges Lernen, Personalentwicklung und Bildung. *Berlin liegt in Frankreich* ist sein Debütroman.

Philipp Skoeries

Berlin liegt in Frankreich

Über eingebildete Hühner, aggressive Gorillas
und fiese Schweine.

www.tredition.de

Verlag und Druck:
tredition GmbH, Halenreie 40-44, 22359 Hamburg
Lektorat: Sophie Fendel (lektorat-fendel@web.de)

Kurt Marti, wo chiemte mer hi? © 2018 Nagel & Kimche in der
MG Medien Verlags GmbH, Haar

Hörbuch erhältlich ab 2021 bei Audible, Amazon und iTunes

ISBN
Paperback: 978-3-347-32227-1
Hardcover: 978-3-347-32228-8
e-Book: 978-3-347-32229-5

„Wo kämen wir hin, wenn alle sagten,
‚wo kämen wir hin?', und niemand ginge,
um einmal zu schauen, wohin man käme,
wenn man ginge."

Kurt Marti, 1921–2017

Vorwort

Der Wald und die Stadt sind zwei Orte, die unterschiedlicher nicht sein könnten. Trotzdem ähneln sie sich in gewisser Weise. Ein Wald strotzt nur so vor Vielfalt. So viele verschiedene Lebensformen, jede auf ihre Art schön. So viele Besonderheiten und Charaktere. Jeder für sich nützlich. Aber auch so viele Konflikte!

Manchmal könnte man meinen, Tiere lernten nicht vom Menschen, sondern umgekehrt. So wie der Wald, in seiner Vielfalt, eine Heimat für unterschiedlichste Tierarten ist und seine Bewohner sich in einem Zustand von Konkurrenz und fortwährendem Misstrauen befinden, spielt sich dies in ähnlicher Weise nämlich auch in der Stadt ab – dem Biotop des Menschen.

Manchmal mag man in den einfachen Bedürfnissen eines Tieres, in seinen Emotionen auch uns Menschen sehen. Manchmal kann das lustig sein und uns zum Lachen bringen. Manchmal mögen wir mitfiebern, denn es gibt auch unter Tieren allerhand Spannungen und Missverständnisse.

Manche sagen, dass das, was uns zu Menschen macht, der Unterschied zwischen den Tieren und uns sei. Dass wir eben nicht wie Tiere sind. Andere fühlen pessimistischer und halten Tiere grundsätzlich für ehrenwerter als Menschen.

Welche von diesen beiden Parteien auch immer recht hat: Wenn wir genau hinsehen, können wir uns selbst in Tieren wiederentdecken – wie in einem Spiegel. Und vielleicht hilft uns das: wenn wir das nächste Mal wütend werden. Oder traurig. Oder wenn wir das nächste Mal denken: „Solche Affen!"

Denn so gebildet und reif wir auch sein mögen, scheitern wir doch so oft und regelmäßig an ganz ähnlichen Dingen: Wir vergleichen uns mit anderen, wir sprechen die Sprache von Neid und Missgunst gegenüber Stärkeren und Arroganz und Ignoranz gegenüber Schwächeren. Womöglich ist uns das nicht bewusst, womöglich denken wir: „So etwas mache ich doch nicht!"

Doch genau dann wäre es spannend, einen Spiegel parat zu haben. Einen, in dem man nicht sein Gesicht, sondern sein Verhalten reflektieren könnte, um zu lernen und seine Fehler zu sehen.

Denn ein bisschen von Rico, den Sie, liebe Leser, gleich kennenlernen werden, steckt in jedem von uns.

Rico – oder Jean-Pierre?

Wenn die Sonne durch die Baumwipfel blitzte und auf Ricos Fell schien, dann konnte man sehen, dass er bereits die ersten silbernen Haare am Rücken hatte, und das bedeutete nicht etwa, dass er alt war (um Himmels willen, nur das nicht!); es bedeutete vielmehr: Er war auf dem Weg, ein echter Silberrücken-Gorilla zu werden.

Er war größer und muskulöser als seine Artgenossen und manche fürchteten ihn, denn Rico konnte schnell wütend werden, wenn etwas nicht so lief, wie er es sich vorstellte.

Er mochte es außerdem überhaupt nicht, wenn man ihn bei seinem richtigen Namen rief, er hielt ihn für viel zu gewöhnlich. Er wollte immer schon einen besseren Namen finden, einen passenderen, edlen. Am besten etwas Französisches. Aber wenn er den Versuch wagte und laut sagte: „Vielleicht Jean-Pierre?", dann lachten die anderen Affen schrill und machten sich über ihn lustig.

Für gewöhnlich verstummten sie aber schnell wieder und rannten davon, denn Rico nahm so etwas nicht gerade mit Humor. Er trommelte mit seinen Fäusten auf seine Brust und spannte seine Muskeln an, um jedem zu zeigen, wie stark er war.

Allerdings war Rico nicht besonders brutal oder gar gefährlich, er war einfach nur sehr aufbrausend. Er war auch ein wenig eitel, aber das durften die anderen nicht erfahren, da sie nur wieder lachen würden.

Manchmal ging Rico an eine Wasserstelle mit dem Vorwand, etwas trinken zu wollen, aber eigentlich wollte er nur prüfen, ob sein Gesicht sauber war und die Haare glatt anlagen. Dafür hatte er immer eine Glasscherbe dabei, in der er sein Gesicht wie in einem Spiegel betrachten konnte.

Wann genau Rico seine Vorliebe für Frankreich und französische Namen entwickelt hatte, ist unbekannt. Manche, die ihn kennen, meinen, er war schon immer etwas seltsam. Andere sagen, wir sind grundsätzlich alle etwas seltsam und Frankreich, das romantische Paris, der Eiffelturm – das gefällt doch eigentlich jedem, jeder träumt doch ab und zu davon, in einer Stadt zu leben, die schöner ist als die eigene. Oder davon, vielleicht selbst ein klein wenig bemerkenswerter zu sein als andere.

Ein Ereignis war aber besonders prägend für ihn und mit dieser Geschichte soll es erzählt werden:

Es war ein warmer Herbsttag, Rico zog allein und wütend durch den Wald. Es war nur eine Kleinigkeit gewesen, aber er hatte sich heute einfach nicht unter Kontrolle gehabt. Ein Affe hatte ihn provoziert, eins war zum anderen gekommen. Er war furchtbar zornig geworden und wollte sich prügeln. Letztendlich aber rangelten sich die beiden Affen nur ein wenig und gewonnen hatte am Ende keiner.

Rico war das alles im Nachhinein peinlich. Auch wenn er von den anderen Tieren durch seine aggressive Art respektiert wurde, sah er in ihren Augen auch Furcht – manche dachten wohl über ihn, er sei ein gefährlicher Wahnsinniger. Wer ihn respektierte, weil er ihn fürchtete, ja ihn sogar für einen Wahnsinnigen hielt – was für eine Art Respekt wäre das? Jedenfalls nicht der Respekt, den er sich wünschte.

Aber was sich Rico wünschte, war für die anderen und sogar für ihn selbst nur schwer zu verstehen. Es schien so, als würde er etwas suchen, das er nicht im Wald finden könnte.

Wie unrecht er haben sollte!

Nun schlurfte er niedergeschlagen vor sich hin, missmutig, traurig. Er fühlte sich nicht nur allein, er fühlte sich einsam. Von etwas weiter weg drang leise Musik zu ihm hinüber. Es klang ganz nach einer wilden Tanzparty in einiger Entfernung.

Für einen Moment überlegte er, ob er sich einfach davon weg-
bewegen sollte, Tanzen war nichts für ihn. Tanzen war ihm zu
doof. Dieses sinnlose Herumgewackel!

Aber aus *Neugier* fasste er dann doch den Entschluss, sich in
Richtung der Klänge zu bewegen.

Als er ankam, lugte er durch ein paar Zweige, um einen Blick
auf das Treiben zu bekommen. Er sah eine große Lichtung vor
sich. Große Gorillas tanzten mit ihren Gorillamädchen wild zur
Musik. Schrille Gitarrenklänge schallten durch den Wald und ein
DJ mit einer übermäßig dicken Goldkette konnte sich vor Mitwip-
pen zur Musik kaum noch auf den Beinen halten.

Was für ein schrecklicher Ort! Alles voller oberflächlicher Pro-
leten! Wer weiß, vielleicht war es sogar gefährlich?! Schließlich
sahen diese Affen ungewöhnlich groß aus und er war als Fremder
ganz allein hier. Zeitgleich passierte etwas Seltsames: Ein fremd-
artiger, süßlicher Duft machte sich breit. War er nicht allein? Hatte
sich hinter ihm unbemerkt ein fremdes Wesen angeschlichen,
ohne dass er es wahrgenommen hatte? Er schauderte und zögerte
sich umzudrehen, denn er ahnte, dass er in eine Falle getappt war.

Plötzlich bewegte sich spürbar ein Finger hinter seinem Rücken, um ihn anzutippen. Wutentbrannt und bereit, sich seinem
Schicksal und einer Übermacht an fremden Wesen zu stellen,
drehte sich Rico nach hinten, um gleichzeitig mit seiner rechten
Pranke zum tödlichen Schlag auszuholen.

Ey, Alter, ey!

Hi!", sang es ihm entgegen. Zwei Affenmädchen standen goldbehangen und außerordentlich aufgedonnert vor ihm. „Was bist du denn für ein Süßer?", kicherten sie ihm zu.

Rico stammelte, sichtlich erleichtert, aber auch schon wieder etwas ärgerlich: „Was riecht hier so seltsam?"

Zugegeben, es klang eher, als brummte er es vor sich hin.

Die Gorillamädchen kicherten wieder.

„Das ist 111 Flanel Bleur, hihihi!"

„Das klingt irgendwie französisch", wunderte sich Rico laut. Waren das Affen aus Frankreich?

„Französisch?", kreischten ihm die Mädchen entgegen. „Warum französisch?"

„Ähm, keine Ahnung", brummte Rico. „Ich mag Frankreich", fügte er schüchtern hinzu.

Nun wandelte sich der Blick der Mädchen in eine Mischung aus Langeweile, Unverständnis und Gleichgültigkeit. „Aha", meinten sie. „Wer bist du eigentlich?", fragte die größte, anscheinend mutigste von ihnen und sie wippte ihren Kopf dabei, sodass ihre großen Creolen nach links und rechts schwangen.

Rico überlegte einen Moment. Diese Mädchen wirkten nicht so, wie er sich echte Franzosen vorstellte. Aber er wollte es wagen. Er wollte das wagen, was er schon lange hätte machen sollen. Er wollte nicht mehr Rico sein. Er wollte nicht mehr jemand sein, den er selbst nicht leiden konnte. Er wollte sich neu erfinden. „Ich bin …", sagte er zögernd. „Ich bin …", wieder eine Pause und dann fuhr er schließlich mit entschlossener Stimme fort: „Ich bin Jean-Pierre Gargouille!"

Für einen Moment sahen ihn die Gorillamädchen an, als käme er von einem anderen Stern. Oder zumindest aus Frankreich. Dann aber verfielen sie in lautes Gelächter und kugelten sich fast vor Lachen, während sie wieder und wieder kreischten: „Scho Pjer, hahaha – Scho Pjer!!"

Rico wurde dieses Mal nicht wütend. Er schämte sich. Er wusste gar nicht, warum, schließlich klang „Jean-Pierre Gargouille" unglaublich interessant. Wie ein französischer Schriftsteller. Oder ein französischer Wein? Jedenfalls klang es nicht nach diesen primitiven Gören und ihren Gorillafreunden.

Missmutig schritt er in einen abgelegenen Teil der Lichtung. Aber sein Auftritt war nicht unbemerkt geblieben. Drei junge Gorillas, deutlich kleiner als Rico, näherten sich ihm mit schnellem Schritt.

Er versuchte, ein wenig zurückzuweichen, aber hey, das war nicht wirklich seine Art. Also standen die drei nach kurzer Zeit vor ihm, im Hintergrund die schallende Musik.

„Hey, Alter!", meinte einer von ihnen. „Hast du gerade Chantal angemacht, oder was?"

Rico wurde wütend und schrie: „WAS BILDET IHR DREI MUSKETIERE EUCH ÜBERHAUPT EIN? UND WER IST CHANTAL? Moment: Ist das jemand aus Frankreich?"

ZACK! Schon landete die erste Faust krachend in seinem Gesicht und er wusste gar nicht, wie ihm geschah, da hatte er schon die nächste verpasst bekommen. Rico riss sich los, schubste einen der Halbstarken mehrere Meter zur Seite (das heißt, besser gesagt, er flog mehrere Meter zur Seite) und verpasste einem anderen einen Tritt in den Hintern, wodurch dieser in einer etwas weiter entfernten Baumkrone hängen blieb.

Der dritte Affe aber war gar nicht einmal so einfältig, wie er laut Ricos Ersteinschätzung aussah. Denn er hielt kurz inne, packte dann zwei seiner Finger in den Mund und pfiff lautstark!

Die Musik ging aus, alle blickten in seine Richtung und damit auch in Ricos. „Ey, Alter, ey, der fremde Typ hier hat meine Freundin angemacht!", schrie er lauthals zu seinen Kameraden hinüber.

„Auf ihn!", hallte es zurück, als würde eine Armee den Befehl eines Offiziers bestätigen, und eine ganze Affenhorde machte sich nun auf die Beine. Von allen Seiten liefen sie auf Rico zu, bis er komplett umstellt war.

Nur weg von hier!

Stopp! Stooooooooooooopp!!", schrie Rico. „Ich, ähm, es tut mir leid", stammelte er.

Einer der größten und erfahrensten Gorillas, ein muskulöser Silberrücken, der auf einer Sänfte getragen wurde, stoppte den Mob mit einer Handgeste.

„Stolze Feieraffen", sagte er, „ihr wisst, wir sind in diesem Quartal schon leicht über der geplanten Totschlagsrate. Wir kriegen Probleme mit der Landesüberwachung, wenn wir so weitermachen. Es muss sich schon lohnen, wenn wir den hier", er deutete auf Rico, „plattmachen wollen. Nicht, dass ich das nicht gerne wollte, versteht mich an dieser Stelle nicht falsch. Aber es muss schon richtig Spaß machen und damit es Spaß macht, muss auch eine gute Geschichte darüber her, warum es dieser fremde, seltsame dicke Affe verdient hat, von uns zerlegt und aufgefressen zu werden, okay, Alter, ey?"

Das „Alter, ey" klang ein wenig aufgesetzt, denn ansonsten konnte sich der erfahrene Anführer höchst gewählt ausdrücken. Zumindest im Gegensatz zu seinen anscheinend Untergebenen. Trotzdem: Spätestens bei dem Wort „auffressen" wurde es Rico schlecht. Er war immer sehr aufbrausend gewesen und dadurch auch manchmal das eine oder andere Risiko eingegangen. Aber er war noch nie in eine so große und gleichzeitig fremde Affenhorde geraten, wie das nun der Fall war. Das Risiko, schlicht und ergreifend aufgefressen zu werden, erschien ihm außerordentlich realistisch, denn es war dieser aufgepeitschten Meute allemal zuzutrauen.

„Also", sagte der Oberaffe und deutete mit dem Finger auf Rico, „wer kann eine tolle Geschichte zu diesem hässlichen Typen erzählen?"

„Ich", sprang der geprügelte Gorilla, der Rico angegriffen hatte, auf und reckte dabei die Hand in die Höhe. „Das war so", sagte er, „dieser krasse vollbehinderte Typ – ey, Alter, ey. Der hat misch erst mal voll so beknackt angeschaut." Dabei demonstrierte er einen wirklich selten bescheuerten Gesichtsausdruck, der sich mit Worten kaum beschreiben ließ. Er zog dabei die Unterlippe über seine Oberlippe und schielte mit seinen Augen so weit nach oben, dass nur noch das Weiße darin zu sehen war.

„Laaaaangweilig", brüllte ein dicker Affe nach vorne.

„Iiiiih, voll so eklig, ey, Alter, ey", meinte ein Gorillamädchen.

Der Geprügelte fuhr unbeirrt fort: „So, und dann hab isch ihm halt so voll krass in sein hässlisches Gesischt geschlagen, so boom", dabei demonstrierte er seine Heldentat mit einem weit ausholenden Schlag nach vorne und traf damit (wahrscheinlich, weil er immer noch mit den Augen schielte) einen kleineren Gorilla, der dadurch nach hinten flog und sich unfreiwilligerweise auf eine Gruppe junger, kräftiger Affendamen legte, die dadurch kreischend zu Boden fielen.

„Der hat so krass meine Freundin angemacht, ey, Alter, ey!", brüllten die jeweiligen Freunde im Dreiklang und stürzten sich auf den nicht besonders begabten Geschichtenerzähler.

Gleichzeitig schien sich der Affe, der vorher durch Ricos Schlag auf dem Baumwipfel gelandet war, davon zu lösen, um schließlich krachend auf drei andere Damen zu fallen. Wieder hörte man kurz einen Satz von der anderen Seite, der irgendwie mit „ey, Alter, ey" endete und mit „voll krass" begann. Es startete eine wilde Prügelei, die schließlich die ganze Affenhorde erfasste, inklusive des gebildeten Anführers, der anscheinend versuchte, die Situation zu entschärfen, indem er von seiner Sänfte aus rief: „Bitte haltet die quartalsweise Regulierung der Totschlagszahlen im – äh – Auge ... ey, Alter, ey."

Rico nutzte die Chance und kletterte einfach über die sich prügelnden Streithähne, um so schnell wie möglich diesen Ort zu verlassen.

Das „ey, Alter, ey" wurde langsam immer leiser und auch die kreischenden Gorillamädchenstimmen, die Wetten darüber abschlossen, wer welchen Affen besiegen würde.

Rico verspürte große Erleichterung, dieser Situation noch mal entkommen zu sein. Er lief und lief und irgendwann wusste er gar nicht mehr, wo er war und wie er überhaupt wieder nach Hause zurückkommen würde. Aber eigentlich war ihm das nicht mehr wichtig. Wo war überhaupt sein Zuhause?

Rico beschloss an diesem Tag, dass es nicht mehr der Wald sein sollte. Sein Zuhause musste ein anderer Ort sein. Er musste weg. Er musste weit weg. Es musste einen Ort auf dieser Erde geben, der ihm etwas Neues versprechen könnte. Etwas Größeres. Etwas, das seinem Leben Sinn verleihen könnte.

Es war schon dunkel geworden und Rico konnte kaum noch erkennen, wo er eigentlich war, der Weg war schlecht zu sehen. Er musste irgendwo ein Nachtlager errichten. Oder einfach an einem Baum ausruhen und ein wenig schlafen, schließlich hatte er genug erlebt. Er lehnte sich an einen gemütlich wirkenden Baumstamm und schloss die Augen.

Doch zur Ruhe kommen sollte er nicht.

Allein in der Nacht

Gerade als er es sich einigermaßen gemütlich gemacht hatte, störte ein leises Geräusch seine Ruhe.

„Wer macht hier Geräusche!", raunte er etwas ängstlich in die Nacht. Aber die Nacht raunte nichts zurück und seine Worte verhallten in der Finsternis.

Es fiel schwer, etwas zu erkennen, der Wald war dunkel geworden. Ein paar fahle Umrisse zeichneten sich ab, aber man konnte immer nur vermuten, was sie bedeuteten.

Wieder ertönte ein leises Geräusch. Es klang so, als würden Blätter, die am Waldboden lagen, langsam nach unten gedrückt werden. Dann, wieder einige Sekunden – vielleicht sogar dreißig – Ruhe. Danach erklang es wieder.

Sollte sich hier etwas nähern? Rico drückte sich stärker an den Baum und hielt den Atem an – vielleicht könnte er in der Dunkelheit doch etwas erkennen? Er zwickte die Augen zusammen, als könne er das fahle Bild, das vor ihm lag, damit scharf stellen und heller beleuchten. War da etwas? Ein Schatten schien von links nach rechts zu huschen, aber das geschah viel zu schnell. Ein normales Tier konnte das nicht sein.

Kam das Geräusch von diesem Schatten? Wieder ein leises Rascheln. War es nun lauter geworden? Er hatte das mulmige Gefühl, dass etwas immer näher zu ihm kam. Mittlerweile presste sich Rico an den Baum und umklammerte ihn regelrecht. Es könnte ja nicht schaden, sich einige Meter aufwärts zu bewegen, dachte er und versuchte, sich langsam über einen tiefer liegenden Zweig vom Erdboden abzuheben, in der Hoffnung, niemals einem fremden Wesen begegnen zu müssen, das leise Blätter vor sich zusammendrückte (wahrscheinlich durch seine immens großen Füße) und dabei gleichzeitig kaum sichtbar blieb. Er hangelte sich also langsam den ersten Meter nach oben. Dabei merkte er, dass er wohl in letzter Zeit einiges an Gewicht zugenommen hatte – und das womöglich nicht nur aufgrund wachsender Muskeln.

Wieder ein Rascheln! Es musste fast direkt unter ihm sein, denn nun war es eindeutig lauter geworden! Rico brach der Schweiß aus – nicht schon wieder Ärger mit den Nachbarn. Noch dazu noch fremdere Nachbarn, vielleicht ein wütendes Flusspferd oder ein wild gewordener, hungriger Löwe oder vielleicht noch schlimmer: ein völlig fremdes Wesen unbekannter Art?

Rico erschrak vor seinem eigenen Einfallsreichtum. Nicht ohne Grund, denn nun kam zu einem weiteren, wieder deutlich lauter werdenden Rascheln ein eindeutig fremder Geruch hinzu. Panisch hangelte er sich nun den Baum nach oben, dem Wipfel entgegen. Dieser wankte und knarrte unter seinem Gewicht und Rico versuchte, auf seinem Weg an die Spitze noch einmal innezuhalten – vielleicht konnte er den Angreifer von dort besser erkennen und einen schweren Ast nach ihm werfen?

Gerade als er einen passenden, kräftigen entdeckte, fing es an zu regnen. Besser gesagt, es tropfte auf ihn herab und er hielt schützend die Hände über seinen Kopf, denn wenn Rico eines hasste, dann eine ungepflegte Frisur!

Als er seine Hände an einem Blatt trocknen wollte, sah er es. Es hatte nicht angefangen zu regnen und die Tropfen, die ihn trafen, waren keine Wassertropfen.

Seine Hände waren voller Blut!

Panisch reckte er den Blick nach oben in den Wipfel, woher die Tropfen kamen, und sah direkt in das blutende Gesicht eines Affen. Es war der, den er vorhin in eine Baumkrone geschleudert hatte. Er grinste Rico direkt ins Gesicht und presste ihm zynisch entgegen: „Hi, JEAN-PIERRE!"

Ehe der geschockte Rico reagieren konnte, traf ihn die wilde Pranke des Verletzten voll am Oberkörper und beförderte ihn blindlings in die trübe Nacht. Das irre Lachen des verletzten Schlägers verfolgte ihn auf seinem Sturzflug zum Boden.

George Hampelton

Waaaaaaaaaaaahhhhhhhh!", schrie Rico lauthals. Ein kleines Eichhörnchen war direkt auf ihn gekrochen und stand mehr oder weniger auf seinem Gesicht. „Sie haben schlecht geschlafen, Sir, yes, Sir!", brüllte es ihm mit leicht englischem Akzent entgegen.

„Was?", fragte Rico. „Was zum Geier machst du auf meinem Gesicht und warum brüllst du mich an?!"

„52. Kompanie, melde mich zum Dienst!", brüllte es und fügte etwas schüchtern hinzu: „Habe meine Einheit verloren."

„O Mann ... wieso muss mir so etwas immer passieren", dachte sich Rico. „Wie lange habe ich denn geschlafen?", fragte er sich eigentlich selbst, bekam aber prompt eine Antwort des militärischen Tierchens, das ihm entgegenbrüllte: „Sechs Stunden und zweiunddreißig Minuten, Sir, yes, Sir!"

Rico klatschte das Eichhörnchen aus seinem Gesicht und es plumpste vor ihm auf den Boden. „Rühren", fügte er hinzu.

Es stellte sich – kaum verändert – beeindruckend beherrscht und diszipliniert vor ihm auf und entgegnete wieder ein halb gebrülltes „Sir, yes, Sir!".

„O Mann, was willst du denn eigentlich von mir? Warum und seit wann sind eigentlich ausgerechnet Eichhörnchen im Krieg?"

„Das ist eine lange Geschichte", entgegnete das Eichhörnchen traurig.

„Ist ja auch egal", meinte Rico, „ich brauche ehrlich gesagt keine Begleitung."

Das Eichhörnchen blickte entmutigt zu Boden. „Noch nicht mal eine kleine Begleitung? Also ein klein wenig, meine ich", sagte es schüchtern.

Rico ächzte genervt. „Nein! Brauche ich nicht!"

Beide saßen nun stumm nebeneinander. Rico wendete seinen Kopf ärgerlich dem Eichhörnchen entgegen und räusperte sich deutlich wahrnehmbar.

„Sir, ich sitze hier einfach nur!", erwiderte es beleidigt. „Darf ich das nicht?"

Rico dachte nach. Brauchte er wirklich keine Hilfe? Er wusste nicht einmal, wo er war.

„Wie geht es hier raus aus dem Wald?", sagte er etwas leiser, als wäre es ihm peinlich, wenn jemand mithören könnte, dass er ausgerechnet ein Eichhörnchen nach dem Weg aus dem Wald fragte.

Es kramte eine Karte hervor und entgegnete selbstbewusst: „Sir, yes, Sir! Wir befinden uns aktuell im Südosten an genau diesem Punkt. Ein strammer Fußmarsch in Richtung Nordwesten und wir könnten es bereits heute Abend aus dem Wald herausschaffen, Sir! Danach möchte ich nach England zurück, es gibt einen Flughafen nicht weit von hier. "

Rico beäugte das kleine Tier argwöhnisch. Wenigstens wusste es, wo es hinwollte. Und immerhin wollte es auch weg von hier. Außerdem wusste er nicht einmal, wo „nordwestlich" war, also mochte dieser kleine Wicht ja doch noch hilfreich sein.

„Wie heißt du überhaupt?", fragte er skeptisch.

„George Hampelton", antwortete das Eichhörnchen prompt und fügte ein überstürztes „Sir, yes, Sir!" hinzu.

„Soso ...", knurrte Rico.

„Wie ist Ihr Name, mit Verlaub, Sir?", guckte es Rico fragend an.

Er dachte einen Moment nach, ehe er antwortete. „Ähm, Jean-Pierre Gargouille", meinte er schließlich zögerlich und fügte hinzu: „Ach, sag einfach Rico!"

„Jean-Pierre?", fragte Hampelton. „Das ist doch ein exzellent klingender Name! Ich gehe davon aus, Sir, Sie wollen – wie ich – in Ihre Heimat, Frankreich, zurück. Es wäre mir eine Ehre, Sie dabei zu unterstützen!"

„Hm ...", meinte Rico, „ja, also, Frankreich, ja, natürlich möchte ich dahin. Also, ich möchte da wieder hin. Ist ja schließlich meine Heimat und ich war deswegen ja auch schon mal dort. Also eigentlich komme ich ja von dort. Und jetzt möchte ich da wieder hin. Das ist schon richtig. Wobei ich ehrlicherweise sagen muss, das ich mich ähm – kaum erinnern kann. Alles, was ich über Frankreich weiß, kenne ich nur vom Hörensagen."

George Hampelton hatte Ricos Gestopsel nicht wirklich verstanden und sah ihn ein wenig fragend an.

„Frankreich ist weit weg und fliegen ist nicht unbedingt meine Leidenschaft. Ich muss mir das also noch genauer überlegen", ergänzte Rico nun erklärend.

„Sir, yes, Sir", rief George ihm gehorsam entgegen.

„Sei mal nicht so formal", sagte Rico. „Du kannst Du zu mir sagen."

„Sir, yes, du, äh, Sir!", presste ihm George wieder entgegen, sichtlich verunsichert, einen so großen Gorilla einfach mit Du anreden zu dürfen.

Aber Rico hatte ein gutes Gefühl. George war wohl das erste Wesen, das seinen selbst gewählten Namen gut fand. Das war doch kein schlechtes Zeichen! Kaum hatte er sich entschlossen, den Wald zu verlassen, hatte er auch schon den ersten Unterstützer. Zugegeben, ein etwas mickriger, aber immerhin anscheinend mit einem gewissen Orientierungssinn.

„Wo geht es denn nun genau hin?!", fragte Rico bestimmend.

George kramte wieder seine alte Karte hervor und glich sie umständlich mit ihrer aktuellen Position ab. „Die Sonne steht nun hier, also muss hier Süden sein und dort Norden." Er fuchtelte dabei erklärend mit seinen Armen umher. „Folge mir nach, Jean-Pierre, es geht genau hier entlang", ergänzte er und deutete auf den Weg vor sich.

„Gut", sagte Rico zögerlich, „lass es uns versuchen – umkehren können wir immer noch."

So stapften die zwei ungleichen Tiere durch den Wald, ihr Ziel vor Augen. Sie ahnten nicht, dass ihnen etwas folgte.

Die entscheidende Wendung

D en ganzen Tag waren sie nun schon durch die Wildnis gelaufen, hier und da hatten sie eine Pause eingelegt, etwas getrunken und gegessen, aber so eine lange Reise war anstrengend.

„Weißt du wirklich, wo es langgeht?", meinte Rico genervt.

„Sir, yes, Sir!", schrie George und Rico verdrehte die Augen.

„Kannst du das mal bitte sein lassen, mit diesem ‚Yes, Sir, yes, Sir'?", imitierte Rico ihn etwas übertrieben.

„Du meinst: Sir, yes, Sir!?", entgegnete George.

„Jaaa", meinte Rico, „es nervt mich."

„Nun, in meiner Welt ist dies ein Zeichen von Respekt. Ich habe gedient. Bin unter englischer Flagge in viele Krisengebiete dieser Welt gereist und meinen Offizieren immer treu gewesen. Sie sind nun für mich mein neuer Offizier."

„Du", entgegnete Rico nur knapp, „du kannst Du sagen. Lass uns mal nicht so verkniffen sein. Mir ist viel wichtiger, dass du mich von hier wegbringst. Ich will endlich raus aus diesem öden Wald."

„Okay, Si... äh, du, äh, Jean-Pierre, wir machen das so. Ich werde Ihnen – äh – dir den Weg zeigen, du wirst sehen. Außerhalb des Waldes ist es ganz großartig. Es gibt Nüsse ohne Ende und tolle, freistehende Bäume und – äh – es gibt sicher dort auch diese intellegenten Tiere, von denen du gesprochen hast."

„Intell – i – gent!", korrigierte Rico den Kleinen. „Es heißt intell – i – gent! Was redest du denn für einen Blödsinn! Hältst du die Karte überhaupt richtig rum?", fügte er zweifelnd hinzu.

„In meiner Welt sagt man intell – e – gent", entgegnete George beleidigt. „Aber vielleicht wirst du diese ja eines Tages kennenlernen."

Rico antwortete nicht mehr. Er war genervt. Er hatte erst jetzt Zeit dazu gefunden, all die Beleidigungen und Eskapaden im Wald zu reflektieren. Er war geschlagen worden. Beleidigt. Man hatte ihn als hässlich und dick bezeichnet. War er wirklich so hässlich geworden? Er brauchte dringend eine Pause.

„Ähm", meinte Rico, „da vorne kommt eine Wasserstelle, ich müsste mal kurz etwas trinken gehen."

„Jetzt? Echt?", entgegnete George. „Es hat doch gerade geregnet!"

„Ja, nur einen kurzen Moment", beschwichtigte Rico. „Dauert nur eine Minute", fügte er hinzu.

Er entfernte sich ein wenig von George in Richtung der Wasserstelle. Sie hatte einen Radius von circa zehn Metern. Wie ein kleiner See sah sie aus. Umgeben von Sträuchern und dahinter hoch aufragenden alten Bäumen.

Die Wasseroberfläche lag ruhig da, fast regungslos. Rico trat heran und kniete sich direkt davor nieder. Nun konnte er ein wenig Luft holen, ein wenig Wasser daraus entnehmen und sich außerdem ein wenig frisch machen. Er musste unbedingt einen Blick auf sich werfen, seine Eitelkeit verlangte es geradezu. So zog er die Spiegelscherbe, die er immer bei sich trug, aus seinem Fell und senkte den Blick darauf. Er erschrak, als er sich sah. Die Auseinandersetzung mit den anderen Affen war nicht spurlos an ihm vorübergegangen. Eine tiefe Schramme zog sich durch sein Gesicht und seine Haare lagen wild zerzaust in alle Richtungen. Rico ließ seine Hand ins Wasser gleiten, befeuchtete damit seine Mähne und kämmte sie mit seinen Fingern ordentlich in eine Richtung.

Nun geschah etwas Besonderes. Es gibt vielleicht nur einen oder zwei Momente in einem ganzen Leben, an denen so etwas passiert. Nämlich, dass ein zufälliger Moment einen anderen zufälligen Moment erzeugt, der wiederum Folgen für den weiteren Verlauf der eigenen Entwicklung hat.

Im Falle Ricos war dies ein kleiner Biber, der ins Wasser sprang. Er hatte irgendetwas Schweres dabei, was, wusste Rico nicht, aber er erzeugte einen ganz außerordentlichen Platscher.

Dieser zog eine Welle nach sich und lenkte damit die Aufmerksamkeit eines Tieres, das sich im Wald verborgen hatte, auf die Szene. Nur für einen kleinen Moment lugte es aus seinem Versteck im Dickicht in Richtung Wasser.

Genau in diesem Moment sah Rico in seiner Scherbe für den Bruchteil einer Sekunde das Bild des Waldes, der sich hinter ihm befand, und er sah, was den beiden Reisenden dicht gefolgt war. Es sollte dieser Geschichte die entscheidende Wendung geben.

Flow

"Flow" nennt man den Zustand völliger Konzentration, der puren Hingabe an etwas. Wenn man diesen „Flow" fühlt, verliert man jedes Gefühl für Zeit. Genauso ging es Rico in diesem Moment. Wie in Zeitlupe nahm er die leicht im Wind wehenden Blätter des Waldes wahr und das feine Antlitz eines wunderschönen Rehs, das ihn mit großem, sanftem Blick ansah. Als könne es durch Rico hindurch auf sein Spiegelbild blicken, so sah es ihn an. Sein Blick strahlte Weisheit, Verlässlichkeit, Integrität, Intelligenz und eine ungeheuerlich wirkende zarte Erhabenheit aus.

Alles, was sich Rico für seine Zukunft vorgestellt hatte, alles, was er für sich wünschte zu sein, schien als Person vor ihm zu stehen. Kein grober Gorilla, der von Wutanfall zu Wutanfall stolperte. Sondern ein graziles Wesen, das vor allem eines ausstrahlte: Würde.

Mit einem Ruck riss es ihn aus seinem Tagtraum. Er drehte sich schnell nach hinten, um zu sehen, wo genau das Rehlein war. Für einen Moment stand es ihm direkt gegenüber. Es blickte ihn mit leicht geneigtem Kopf an und sagte mit französischem Akzent: „Enschuldigen Sie, Monsieur, isch möschte nach 'ause – können Sie mir sagen, wo …?"

Plötzlich knisterten einige Zweige, denn George Hampelton raschelte durch das Gebüsch. Schon war das Reh verschwunden.

„George?", rief Rico aufgeregt, während er sich zurück in den Wald bewegte. „Bist du das? Hast du das gesehen?"

Hampelton tauchte vor ihm auf. „Was denn, ähm, Jean-Pierre, Sir", antwortete er etwas unsicher, denn wenn Rico etwas gesehen hatte, das Eichhörnchen aber nicht, bedeutete dies wohl unweigerlich, dass es etwas *übersehen* hatte. George, sichtlich nervös, wollte sein Gesicht nicht verlieren und entschied sich daher in aller Kürze der Zeit zu einer korrigierenden Lüge, die ihm das Leben nicht unbedingt leichter machen sollte.

„Ach das? Ja, das hab' ich natürlich gesehen, Jean-Pierre, Sir, Sie, du weißt ja, mir entgeht nichts!"

„Hast du gesehen, wo es hingelaufen ist?", antwortete Rico.

„Nun ja, also, in diese Richtung", sagte George und deutete auf den vor ihnen liegenden Weg.

„Sicher?", entgegnete Rico, der die deutliche Unsicherheit in Georges Stimme bemerkte.

„Hundertprozentig!", sagte George nun im Brustton der Überzeugung, wenngleich diese auch nur gut gespielt war. „Das, äh, Ding ist in diese Richtung gelaufen", fügte er wieder etwas unsicher hinzu, denn von was dieser cholerische Gorilla genau sprach, war ihm ein Rätsel.

„Du meinst das junge Reh", erwiderte Rico und wunderte sich, mit wem er sich da nur eingelassen hatte, denn dieser George wusste offensichtlich noch nicht einmal, was ein Reh war.

„O ja, natürlich, ich kannte den Namen für diese Tierart nur nicht!", erwiderte George mit gespielter Verwunderung, die Chance ergreifend, lieber Unwissenheit gegen Unaufmerksamkeit einzutauschen. Würde Rico ihm glauben, dass er noch nicht mal wusste, was ein Reh war? Sicher, denn dieser knurrige Gorilla war anscheinend eh davon überzeugt, dass alle kleineren Tiere ungebildete Dummköpfe waren.

Dieses Spiel funktionierte problemlos mit Rico. Unkritisch nahm er die Verteidigung des Eichhörnchens grummelnd zur Kenntnis. „George, dieses Reh war etwas Besonderes. Es war nicht nur wunderschön – es kam aus Frankreich! Es hat sogar nach dem Weg nach Hause gefragt! Es ist ganz sicher auf dem Weg nach Frankreich und mir wurde jetzt eines klar: Ich muss auch dorthin. Nicht nur raus aus dem Wald – ich muss tatsächlich nach Hause! Der Ort, wo ich hingehöre, ist Frankreich, mein Freund!"

George dachte blitzschnell nach. „Hier entlang, Jean-Pierre, vertrauen Sie mir. Das Rehlein ist genau in die Richtung gelaufen, in die wir eh gehen müssen! Denn Frankreich ist ein ganzes Stück

entfernt – wir werden zum Flughafen laufen, um dort hinzuge-
langen."

„Also, ähm, fliegen? Meinst du nicht, wir könnten einfach ein
wenig schneller … gehen?" fragte Rico zögerlich.

„Tz, tz, tz", entgegnete George. „Da gibt es leider keine Alter-
native, Jean-Pierre."

Rico antwortete dieses Mal nur mit einem Schnaufen. Fliegen?
Er? Am Ende würde ihn dieses ganze Vorhaben noch das Leben
kosten! Aber für Frankreich musste man eben einiges auf sich
nehmen. Frankreich war nicht leicht zu erreichen. Das Rehlein
aber hatte ihm die Augen geöffnet. Dieses Land voller Träume,
dieses Land voller Schönheit und Edelmut. Es war Zeit, dieses
Frankreich zu sehen.

Tickets nach Frankreich

Nachdem die beiden sich etwas ausgeruht und ihr Nachtlager an einem gemütlichen Baum aufgeschlagen hatten, fing George an, ein Lagerfeuer zu entzünden. Sie hielten etwas mitgebrachten Käse darüber und George kümmerte sich vorbildlich um das Befeuern ihres kleinen Grills.

Rico saß nachdenklich davor, das Knistern der Flammen ließ seine Gedanken schweifen. Normalweise war er immer dann besonders nachdenklich, wenn er zuvor einen Wutanfall gehabt hatte. Aber dieses Mal war er fast ein wenig stolz, denn obwohl George noch nicht mal wusste, was ein Rehlein war, hatte er ihn nicht einfach links liegen gelassen. Er war auch nicht ausgeflippt. Er hatte nur ein wenig geknurrt und den Rest des Abends eine böse Miene aufgesetzt. Es gab Zeiten, da hätte er dieses arme dumme Eichhörnchen mit einem Schlag in die Weiten des Waldes befördert, um es loszuwerden, und sich nicht darum gekümmert, was danach passierte.

Aber dieses Mal hatte er ja ein Ziel. Er wollte nach Frankreich und gleichzeitig wollte er unbedingt dieses wunderschöne Rehlein finden, oder noch besser: es auf seinem Weg in seine Heimat begleiten. Es war, als hätte das Rehlein eine tief in ihm liegende Sehnsucht geweckt. Ähnlich dem Gefühl, das er immer hatte, wenn er allein durch den Wald streifte. Es war der Wunsch, über sich selbst hinauszuwachsen. Etwas zu erkennen, das sonst vor ihm verborgen gewesen war. Als gäbe es etwas hinter dem Wald, außerhalb davon, einen blinden Fleck in seinem Bewusstsein.

Rico war entschlossen, diesen blinden Fleck zu finden. Wie lange würde es wohl dauern, um Frankreich zu erreichen? „George, wie lange brauchen wir noch zum Flughafen?", fragte er prompt.

„Nun, öhm, wir brauchen sicher noch ein paar Tage. Je nachdem, ob wir dein Rehlein finden oder ob es in eine andere Richtung läuft und wir ihm dann wiederum nachlaufen."

„Hmmmmm …", grummelte Rico. „Und wenn du davon aus-
gehst, dass wir den kürzesten Weg nehmen?"

„Nun", sagte das Eichhörnchen etwas selbstbewusster, „wir
müssen auf alle Fälle durch zwei ziemlich gefährliche Städte. Der
Weg an sich ist nicht länger als zwei Tage, aber nur, wenn wir uns
nicht zu lange an diesen beiden Orten aufhalten werden."

„Was wollen wir denn in diesen zwei Städten?!", erwiderte
Rico, schon wieder etwas emotionaler.

George sah ihn mit großen Augen an, offensichtlich irritiert
über Ricos Unverständnis von grundsätzlichen Dingen. „Na, wir
müssen doch Tickets kaufen!"

„Tickets?", erwiderte Rico, der dieses Wort zum ersten Mal
hörte und es vor George nur ungern zugeben wollte.

„Ja, Tickets. Tickets für das Flugzeug – die kosten Geld. Wir
müssen in die eine Stadt, um Geld zu verdienen, und in die andere Stadt, um damit das Ticket zu kaufen. Wenn dein Rehlein
von hier aus irgendwohin möchte, muss es das übrigens auch
tun."

„Sicher", grummelte Rico, „Geld … braucht man." Er hatte davon gehört, aber wie man an Geld kam und wie das genau aussah,
war ihm reichlich unklar. Auf eine gewisse Art und Weise war er
doch froh, dass George bei ihm war. Wenn das Reh auch durch
diese zwei Städte musste, um nach Hause zu kommen, hätte er
eine echte Chance, es wiederzufinden.

Offenbar war das Eichhörnchen also tatsächlich von großem
Nutzen. Zwar wusste es noch nicht einmal, was ein Rehlein war,
und schien ein gänzlich willenloser Soldat zu sein, hatte aber zumindest eine klare Vorstellung davon, was zu tun wäre, um Rico
endlich nach Frankreich zu bringen.

George aber hatte in Wirklichkeit ganz eigene Vorstellungen
davon, wie er Ricos Weg begleiten würde. Und dumm, das war
er keineswegs.

Die Stadt der Arbeit

Ein wunderschöner Sonnenaufgang begrüßte Rico und George, als sie die Stadt der Arbeit erreichten. Sie traten aus dem Wald – und da lag sie vor ihnen. Der Himmel war blau-orange und nur ein paar Wolken schwebten über der Silhouette, die sich mächtig und glitzernd vor ihnen erhob. Es schien, als seien Wolken und Sonne nur dafür gemacht, sie verheißungsvoll auszuleuchten und den Neuankömmlingen zu versprechen: Es wird euch gefallen!

Die beiden waren früh aufgestanden und, ohne viel zu reden, weitergewandert. Der Anblick der Stadt beim Hinaustreten aus dem Wald wurde weder von Rico noch von George kommentiert. Sie genossen den Ausblick einfach wortlos.

Einige Minuten vergingen, vielleicht sogar eine halbe Stunde, bis die beiden sich wieder vom Anblick lösen konnten und den Weg in die Stadt fortsetzten. Es sollte noch über eine Stunde dauern, bis sie schließlich am Stadttor ankamen, aber es war eine Stunde voller Erwartungen, eine Stunde, in der die beiden wieder kein Wort wechselten, denn beide genossen den Anblick und beide verbanden ganz eigene Hoffnungen damit. Es war wie ein Aufbruch in ein neues Leben, denn der Wald, durch den sie tagelang gewandert waren, lag nun endlich hinter ihnen. Schließlich, nach langem Fußweg, kamen sie am Stadttor an.

„Ausweispapiere!", forderte ein dicker Riese, der am Stadttor stand. Er wirkte gelangweilt und fordernd zugleich.

George Hampelton hatte an Eintrittskontrollen gedacht und war demnach bestens vorbereitet. Er zückte einen Ausweis. Der Riese musterte George nur aus den Augenwinkeln, ohne den Kopf zu bewegen. Dann winkte er ihn wortlos durch.

Nun war es an Rico, aber wie man sich vorstellen konnte: Rico hatte natürlich keinen Ausweis.

„Ausweispapiere!", forderte der Riese – er sah irgendwie reptilienartig aus, aber Rico konnte die Tierart nicht wirklich einordnen.

Rico stotterte: „Ich, ähem … so etwas habe ich nicht, beziehungsweise … ich muss meinen Ausweis wohl verloren haben."

„Beantragen Sie einen Gästeausweis am Tor A53", instruierte der Torwächter ihn gelangweilt. „Der Nächste bitte!"

Rico sah George an. Der verdrehte die Augen. „Du hast keinen Ausweis für die Stadt der Arbeit?", murmelte er etwas vorwurfsvoll.

„Ich soll WAS haben? WOHER SOLL ICH DAS DENN WISSEN?" Rico wurde schon wieder etwas zu laut. Das Riesenreptil musterte ihn aus dem Augenwinkel. Rico lächelte gekünstelt zu ihm rüber. „Alles in Ordnung! Tor A53 – äh, wir gehen dahin."

Wortlos wanderten die beiden an der Stadtmauer entlang. „Wo zur Hölle ist denn Tor A53?", raunte Rico George zu.

„Also, da bin ich etwas überfragt", meinte George. „Schauen wir mal: Das hier war gerade Tor C182, das klingt mir nicht danach, als wären wir auch nur ansatzweise in der Nähe von A53."

Nun, es dauerte geschlagene vier Stunden, bis die beiden endlich am Tor A53 angekommen waren. Danach mussten sie dummerweise von dort zu Tor D35, um letztendlich Einlass im sogenannten Gästeeinlassportal zu erhalten. Ricos Laune war an einem Tiefpunkt.

Endlich am Tor D35 angekommen, stand wieder ein Riesenreptil vor ihnen, musterte sie mürrisch aus den Augenwinkeln und – ließ sie gewähren.

„EIN BESCHEUERTER GÄSTEAUSWEIS UND DAFÜR LAUFEN WIR UNS DIE FÜSSE KAPUTT?!", platzte es geradewegs aus Rico heraus, als sie das Tor endlich passiert hatten. Aber es verschlug ihm gleich wieder die Sprache. Denn die Stadt der Arbeit sah von innen nicht so aus, wie Rico es sich vorgestellt hatte. Sie glitzerte auch nicht so schön wie aus der Ferne.

Das Arbeitsamt

D ie Straßen waren eng, die Luft muffig. Die Gebäude ragten hoch in den Himmel, sodass das Sonnenlicht unten in den Gassen nicht mehr ankam. Die Luft war kühler als außerhalb der Stadt und die wenigen Tiere, die durch die Straßen hetzten, waren offensichtlich sehr zielgerichtet und gestresst unterwegs.

„Na großartig – das kann ja nur ein Riesenspaß werden", grummelte Rico.

„Wir müssen zum Arbeitsamt im Zentrum der Stadt", meinte George unbeirrt.

„Wie lange ist das denn zu laufen? Wir sind schon den ganzen Tag gelaufen und ich habe Hunger und wenn ich Hunger habe, dann meine ich Hunger, vielleicht sogar auf Eichhörnchen!", motzte Rico und kam Georges Gesicht dabei bedrohlich nahe.

„Ähm, ich lade dich auf einen Snack ein – hier: ein Essensautomat." George lenkte die Aufmerksamkeit seines übel gelaunten Reisebegleiters hastig auf einen roten, auffälligen Kasten, der schrill beleuchtet war. Auf einer Tafel darüber stand: „Hier können Sie auf Kredit günstiges und unauffällig schmeckendes Essen kaufen – wir wollen Sie ja nicht von der Arbeit abhalten." Ein Zwinker-Smiley ergänzte den seltsamen Werbeslogan, als würde der Verfasser über seinen eigenen schlechten Witz lachen.

„Halte deine Karte an das Display hier", erläuterte George.

Rico hielt seine Karte an ein blau schimmerndes Display und nach etwas Gerüttel und Gequietsche zupfte ein Roboterarm eines der Sandwiches mit einem Getränk aus einem Stapel heraus und legte es in eine Ablage.

„Bitte sehr, Sir, Ihr, äh, dein Sandwich liegt bereit." George klang ein wenig ängstlich, immerhin wusste er nie genau, ob der missmutige Gorilla, der scheinbar auf weibliche Rehleins stand,

nicht irgendwann mal komplett durchdrehen und sich Eichhörn-
chenbraten auf seine Speisekarte für diese Woche schreiben
würde.

Aber Rico hatte nur eines im Kopf: Frankreich. Und dieses fein-
fühlige französische Wesen, das er für einen kurzen Moment in
einem Spiegel gesehen hatte. Das war ihm alle Mühe wert.

Sie kauften sich also einige Sandwiches und Getränke, die sie
schweigend auf ihrem Weg ins Stadtzentrum aßen. Überall liefen
ein paar gestresste Personen herum, aber meist verschwanden sie
sogleich hinter einer der schweren, industriell anmutenden Ein-
gangstüren, die Rico an Panzerfabriken erinnerten. Zumindest sahen sie so aus, wie sich Rico Panzerfabriken vorstellte. Was passierte wohl hinter diesen Türen?

Bevor die Leute eintraten, legten sie immer ihre Karte auf ein
Gerät, das daraufhin laut die Eintrittszeit ansagte. Rico war hoch-
gradig skeptisch. Würde ihn dieses dämliche Eichhörnchen irgendwann in eine bessere Welt führen oder war das alles nur ein
Riesenschwindel?

Endlich näherten sie sich dem Herz der Stadt. Ein massives
graues Gebäude, mindestens fünfzig Meter hoch, stand schmuck-
los vor ihnen. Es war das einzige Gebäude, dessen Türen offen
standen. Die Umgebung war ziemlich belebt. Überall standen
Leute, teilweise ärgerlich, manche schrien sich gegenseitig an o-
der schüttelten die geballten Fäuste in Richtung des Gebäudes.
Das Arbeitsamt konnte kein besonders guter Ort sein, schlussfol-
gerte Rico, denn es hinterließ anscheinend nur wütende Gesichter. Manche sahen enttäuscht aus, andere wirkten sogar völlig
verzweifelt.

„Suchen diese Leute alle Arbeit?", wunderte sich Rico laut.

„Yes, sie sind alle auf der Suche. Die wenigsten finden, was sie
sich vorstellen, eigentlich keiner. Aber die meisten haben keine
andere Wahl", antwortete George gelassen.

Nachdem sie in das Gebäude eingetreten waren, eine Nummer aus einem seltsamen Automaten gezogen hatten und diese Nummer dann nach geschlagenen drei Stunden aufgerufen worden war, landeten sie bei einer jungen Kängurudame, die sie am Schalter empfing.

„Es tut mir sooooo leid", sagte sie.

„Ma'am", sagte George respektvoll, „was tut Ihnen denn leid?"

Rico beäugte George skeptisch.

„Ich habe heute bereits achtundsiebzig Leuten einen Job vermittelt, den sie gar nicht wollten, und jeder hasst mich!" Eine Träne kullerte über ihre Nase.

Ricos Beschützerinstinkt regte sich. „Ich verspreche, ich werde mich nicht aufregen!", verkündete er stolz, als würde dies eine Heldentat darstellen.

George Hampelton dagegen wurde konkreter: „Wir benötigen tausend Scheine in relativ kurzer Zeit. Ich denke, mit den in uns steckenden Talenten", er sah kurz zu Rico hinüber, „können wir das schnell hinbekommen. Ich dachte ganz konkret an die Halle 2."

„Halle 2?", stotterte die Känguru-Lady. „Das ist gefährlich, ihr Armen, wollt ihr das denn wirklich? Ihr werdet sicher nur ärgerlich, wenn ich euch das gebe. Dann werdet ihr böse auf mich sein, Angst haben und weinen und ich muss das hier alles ertragen, obwohl ich doch nur helfen möchte", schluchzte sie nun lauthals.

„Ich verspreche, ich habe vor nichts und niemandem Angst!", posaunte Rico nun in bester Gorillamanier.

„Genau", sagte George. „Geben Sie uns ein Ticket, wir nehmen es an."

Das Mädchen sah den beiden für einen kurzen Augenblick in die Augen, nahm dann Ricos Hand in ihre und sagte: „Viel Glück – Sie sind ein guter Gorilla, da bin ich mir sicher." Dann zückte sie ein rotes Ticket, machte ein paar Eingaben auf einem bläulich schimmernden Display, glich das Ganze umständlich mit den Ausweisen von Rico und George ab und ein Piepsen ertönte.

Eine automatische Ansage erklang als Bestätigung: „Arbeit verpflichtend gebucht. Sie sind für Halle 2 freigeschaltet. Bei Überleben Sonderprämie möglich. Wir wünschen einen erfolgreichen Kampf!"

In der Arena

Rico stand auf Sand. Ein ungefähr zwanzig Meter großer Radius um ihn war aus Sand. Und außenrum eine geifernde Zuschauermenge, die mit Armen und Beinen stampfte, um sich schlug, grölte und schrie. Er war hinter einem schwarzen Zelt versteckt, das ihn vor den neugierigen Blicken der Menge schützen sollte, denn anscheinend war er eine Attraktion. Er fühlte sich nicht nur allein in diesem Zelt, er war es. Er hatte sich in eine Situation hineinmanövriert, die von seinem erträumten Frankreich so weit entfernt war wie irgend denkbar.

Eine Glocke ertönte dreimal und eine Art Ringrichter erschien. Es war ein durchgeknallter Schimpanse, der den Kampf moderieren sollte. Er trug ein Clownskostüm mit integrierten Stelzen. Dadurch überragte er Rico um mindestens einen Meter und sein wirres Lachen erschien noch grausiger.

„Meine Damen und Herreeeeen! Begrüßen Sie die armen Wichte, die sich hier im Ring gleich die Nase und die Schädel blutig schlagen werden. Zu meiner Linken die Ente Scharlataaaaaaaaaaan. Zu meiner Rechten der Hund Wuff und die Katze Miau. Doch das ist noch nicht alles. Meine Damen und Herreeeeeeeeeeen" – er betonte das „Herren" noch ein wenig mehr – „einen Riesenapplaus für unsere zwei Schimpansen, Grizzly und Bertaaaaaaaaaaaaa!" Dabei zog er das A so lang, bis ihm die Luft ausging.

Das Publikum applaudierte artig und aller Augen waren gespannt auf die verlorenen Seelen gerichtet, die nervös im Ring standen. Nur die zwei Schimpansen schienen sehr von sich überzeugt. Einer von ihnen klopfte wie ein Gorilla mit den Händen auf seine Brust und schrie: „Ich mach dich fertig, Altaaaaaa, ey!!" Der andere ballte die Faust und streckte seinen Arm in die Luft. „Für meine Heimat und meine Familieeeee, Altaaaaaa."

Rico hörte die Schreie durch das kleine Zelt, das ihn verdeckte, und vergrub sein Gesicht in den Händen. Was für ein Mist!

Der Ringrichter, der offensichtlich sehr gerne im Mittelpunkt stand, ließ sich vom Trubel nicht beirren und fuhr mit seiner Moderation fort: „Doch nun sehen Sie selbst, meine Damen und Herreeeeeeeen! Das Ungeheuer aus dem Urwald! Der hässlichste, unheimlichste, wildeste SILBERRÜCKEN", es klang, als wolle er das Wort so langsam und laut sprechen, dass es auch noch die Personen außerhalb der Halle 2 hören konnten, „den sie JEMALS gesehen haben!"

Das Zelt wurde geöffnet und ein Raunen ging durch den Saal. Die meisten in der geifernden Menge waren Schweine. Und offenbar auch relativ arm, womöglich vom umliegenden Land. Der Kampf schien eine Art Höhepunkt ihres Stadtbesuches zu sein. Aber es waren auch Enten, Katzen, viele Hunde und einige Schimpansen unter den Zuschauern.

George Hampelton versuchte, näher an Rico heranzukommen. Er schrie in seine Richtung: „Jean-Pierre, das ist dein Tag! Leichter kommst du nie mehr nach Frankreich!"

Ein Scheinwerfer wurde angeschaltet, der die Szenerie und ihre Protagonisten stärker ausleuchtete. Rico schnaubte. Ein Hund, eine Katze, zwei Schimpansen und eine Ente als ernsthafte Gegner? Seine Gedanken wurden abrupt unterbrochen, denn wieder erklang eine Glocke dreimal.

„Der Ring ist eröffnet! Auf Leben oder Tod! Möge der Bessere gewinneeeeeeeeen", jauchzte der Ringrichter entzückt und vollführte einen wilden Luftsprung.

Kampf auf Leben und Tod

A ls Erstes stürzte sich die Ente in den sicheren Tod. Mit lautem Gequake rannte sie, oder besser gesagt watschelte sie, so schnell sie konnte auf Rico zu. Das Publikum weinte vor Lachen, die Schweine zückten Fotokameras, um den makabren Moment festzuhalten.

Kurz bevor die Ente Rico erreicht hatte, stoppte sie und sprang dann direkt auf sein linkes Bein, um es höchst aggressiv mit ihrem Schnabel zu bearbeiten.

Doch Rico tat einfach nichts. Ihm war völlig unverständlich, warum dieses arme Tier überhaupt sein Leben in diesem ungleichen Kampf riskierte. „Was zur Hölle willst du?!", raunte er der Ente zu.

Doch die biss einfach weiter auf seinem Fell herum, bis sie auf die Idee kam, sich dank ihrer Flügel ein wenig in die Lüfte zu erheben, um ihm direkt in die Weichteile zu beißen.

Rico, völlig überrascht von dieser Aktion, schrie auf und fegte die Ente mit einem Handschlag von sich. Sie verlor dabei einige Federn, die sanft zu Boden schwebten, während die Ente einem der Schimpansen ins Gesicht klatschte. Offensichtlich betäubt plumpste sie mit einem leisen, gequälten Ächzen zu Boden.

Die Schweine grölten vor Lachen. Rico schämte sich.

Nun griffen die zwei Schimpansen gleichzeitig an und Hund und Katze folgten ihnen mit lautem Gebelle und Gemaunze.

Rico wurde wütend. Was sollte dieser Blödsinn? Glaubten diese Zwerge wirklich, einen Kampf gegen einen Silberrücken gewinnen zu können?

Offenbar taten sie das, denn die erste Faust hatte Ricos Gesicht erreicht, während der Hund sich an seinem rechten Bein festbiss. Die Katze wiederum zerkratzte seinen Unterschenkel – es war unglaublich, wie schmerzhaft dieses kleine Wesen angreifen konnte.

Rico grummelte ihnen entgegen: „WAS wollt ihr denn von mir? Was ist das für ein Blödsinn?!" Nun fing er an sich zu wehren. Katze und Hund flogen direkt in Richtung Zuschauertribüne, die beiden Schimpansen erhielten abwechselnd deutliche Treffer von Ricos Pranken und wurden bereits mit dem ersten Schlag außer Gefecht gesetzt.

Das Publikum war außer sich! Die Schweine riefen im Einklang: „Töten! Töten! Töten!"

Der Ringrichter oder Moderator – was auch immer er war – tänzelte wieder vorsichtig zurück auf das sandige Kampffeld. „Meine Damen und Herreeeeeeeen", schrie er förmlich, „Katze und Hund zurück in die Arena!"

Beide schlichen gedemütigt zurück in den Ring. Die Schweine schubsten sie auf ihrem Weg und machten sich über sie lustig.

„Nun erleben Sie den finalen Todesstoß dieses gefährlichen Silberrücken-Gorillas. Wollen Sie das seheeeeeeen?"

„Jaaaaaaa", grölte es aus dem Publikum zurück. „Töten! Töten! Töten!"

„Na, Alter, ey", stöhnte einer der wieder erwachten Schimpansen zurück. „Willst du superhässlicher Affe es versuchen oder traust du dich nicht?"

Die Katze fügte hinzu: „Ich würde dich sofort töten, wenn du mir die Chance gibst."

Rico zögerte.

Da meldete sich George Hampelton zurück. „Hey, Jean-Pierre!", flüsterte er so laut wie möglich zu ihm herüber.

Rico drehte seine Ohren leicht in Hampeltons Richtung.

„Das ist Show, Sir. Sie, äh – du, du musst den Leuten etwas bieten! Mach sie nicht komplett platt. Muss ja nicht sein, wenn es dich stört. Aber, nun ja, wenigstens ein bisschen. Wenigstens die Ente, die war echt besonders fies!"

Und tatsächlich, die Ente hatte es doch wirklich geschafft, sich noch mal zu Rico vorzuarbeiten, unbemerkt, während dieser sich auf George konzentriert hatte. Unvermittelt biss sie ihm wieder direkt in die Weichteile und Rico heulte auf, während sie laut quakte: „Hässlicher Gorilla, hässlicher Gorilla." Die Schweine schrien vor Lachen.

Jetzt packte Rico die blanke Wut. Er griff das garstige Biest und war wild entschlossen, diesem Federvieh ein für alle Mal den Garaus zu machen!

Entenfamilien

D ie Ente baumelte vor ihm, er hatte sie am Hals gepackt. Wütend sah sie ihn an und krächzte: „Na, mach schon!" Rico war verwundert. Wünschte sich die Ente etwa, dass er sie ins Jenseits beförderte? Als würde sie Ricos Gedanken erahnen, krächzte sie wieder: „Mach schon! Ich will nicht ewig warten!"

„Was hast du eigentlich für ein Problem?", raunte er der Ente zu. „Willst du unbedingt den Löffel abgeben?"

Sie hustete. Ricos angespannter Blick entspannte sich ein wenig, wurde freundlicher. Er lockerte seinen Griff. Fast empfand er ein wenig Mitleid mit der armen Ente. Sie hatte ihn und seine Stärke anscheinend völlig unterschätzt.

„Mann!", quäkte sie ihm nun wieder deutlich selbstbewusster zu. „Mach mich platt! Dann sind wenigstens meine Schulden bezahlt und meine Kinder haben eine Chance auf eine bessere Zukunft."

Ricos Augen weiteten sich in plötzlicher Erkenntnis. Deswegen hatten diese Tiere gegen ihn gekämpft? Das war ihre Motivation? Es fiel ihm – endlich! – wie Schuppen von den Augen. Diese Tiere hatten irgendwelche Schulden! Und ER war das Monster, das sie erledigen sollte. Diese Schweine! Was hatte er sich nur gedacht. Natürlich wäre eine Ente oder eine Katze oder ein Schimpanse wahnsinnig, sich ernsthaft mit einem Silberrücken-Gorilla anzulegen!

Er ließ die Ente fallen und sie plumpste fluchend zu Boden. Gerade wollte er zu einem großen Plädoyer gegen dieses schreckliche Geschäftsmodell ausholen, als ihn der Moderator unterbrach.

„Wie lange will denn dieser hässliche Gorilla noch warten, bis er die Ente voll krass plattmacht, Alta! Geht dir die Kraft aus, Gorilla–Äffchen, hahahahahahaha", schrie er durch die Halle und sein Lachen klang dabei unanständig und verdorben.

Rico spürte Wut in sich hochkommen. Das blieb offenbar nicht unbemerkt. George Hampelton war wieder auf seinen Rücken gesprungen, um ihm direkt ins Ohr zu flüstern: „Ähm, könntest du wenigstens die Ente ein bisschen plattmachen, Sir? Ich meine, mal ehrlich, es ist 'ne Ente. Die landet morgen als Entenbraten sonst wo und es ist den Leuten egal."

„Sie hat Kinder und sie tut das nur, um sie zu ernähren und ihnen eine Zukunft zu geben!!", brüllte Rico das Eichhörnchen an, sodass es von seiner Schulter purzelte und neben der Ente schimpfend auf dem Boden landete.

„Was ist?!", provozierte der Moderator und klatschte mit seiner flachen Hand mehrfach auf Ricos Kopf. „Was ist los mit dir, du ULTRA–hässlicher Gorilla?!"

Das Loch in der Zeltdecke war das geringste Übel, als Rico den Moderator aus der Halle beförderte. Keiner wusste genau, wo er gelandet war, aber Schimpansen waren zäh, daher ging Rico davon aus, dass er den Prankenhieb etwas lädiert überlebt hatte. Nein, es war ein viel größeres Übel als das Loch im Zeltdach oder der wahrscheinlich deutlich ramponierte Affe, der da draußen irgendwo im Sand lag.

Das Schlimmste war, dass die Halle 2 tobte. Die Schweine jubelten. Die Hunde heulten vor Freude. Und Rico – schämte sich.

Zurück auf Anfang

D er Raum sah immer noch genauso trist aus wie beim letzten Mal. Der Tisch, der vor ihnen stand, musste einmal weiß gewesen sein, aber die Farbe hatte sich wohl mit der Zeit in eine Art Beige gewandelt. Nur an einigen Stellen – vermutlich hatten dort bis vor Kurzem noch Gegenstände gelegen, die niemals bewegt worden waren – gab es hellere Flecken, die die ursprüngliche Farbe des Tisches erahnen ließen. Nach Ricos peinlicher Eskapade waren sie wieder zurück im Arbeitsamt und saßen – nach einer erheblichen Wartezeit – in einem ähnlichen Raum wie bei ihrem ersten Besuch.

Vor ihnen saß dieses Mal eine übergewichtige Elefantendame. Sie schien nahezu mit ihrem Stuhl verwachsen zu sein. Der Nagellack an ihren Füßen war halb abgebröckelt und vermittelte auf gewisse Art und Weise eine ähnliche Atmosphäre wie der Tisch, der vor ihr stand.

„Ähem …", krächzte sie, „Sie haben also nicht direkt gewonnen, aber auch nicht verloren, Sie haben niemanden umgebracht, nur einen etwas übel zugerichtet. Richtig?"

„Ja, öhm, richtig, Ma'am", bestätigte George kleinlaut mit entschuldigender Miene.

Rico schwieg. Er war genervt davon, wieder in dieses schreckliche Arbeitsamt gehen zu müssen, und noch mehr war er wütend auf George, denn er fühlte sich von ihm hintergangen.

„Dafür können wir Ihnen höchstens ein Zehntel der Summe anbieten, mein Guter. Es ist auch eigentlich nicht geplant oder erwünscht, den Moderator der Show zu verprügeln, aber die Schweine fanden es prima. Mit etwas mehr Disziplin könnte ich Ihnen in einer ähnlichen Kategorie etwas Neues anbieten, wenn Sie wünschen? Die, ähm, Kompetenzen", sie blickte auf Rico, „bringen Sie ja mit."

„NEIN!", grunzte Rico ihr nun entgegen. Sein wütendes Gesicht ließ die übergewichtige Dame sofort verstummen.

„Ach, was soll's, geben Sie uns einen dieser typischen Büroarbeitsplätze. Wir nehmen das beide", sagte George resignierend und etwas enttäuscht.

„Okay, Nummer 4367. Gehen Sie bitte zur Straße Nordbank Nummer 189. Achter Stock, Sie können sich ab 19:30 Uhr bei Herrn Sparsam melden."

Darauf machten sich die beiden schweigend auf den Weg.

„19:30 Uhr?", raunte Rico. „Was soll das denn für eine Arbeitszeit sein?" George war etwas beunruhigt. Der riesige Gorilla neben ihm könnte ihn mit einem Schlag in die ewigen Eichhörnchen-Jagdgründe befördern. Dass er aggressiv werden konnte, und zwar sehr schnell, hatte er ja in der Kampfhalle bewiesen. Noch dazu war er ziemlich dumm und obendrein in ein Rehlein verliebt. In ein französisches, wie er glaubte.

„Äh, also erst mal, Sir, Jean-Pierre, es tut mir leid. Ich dachte, für dich wäre der Job kein Problem. Ich wusste nicht, dass du, öhm, nicht kämpfen willst, beziehungsweise weiß ich das eigentlich auch jetzt noch nicht so genau? Willst du denn überhaupt nicht mehr kämpfen, Jean-Pierre? Ich meine, generell?", fragte er vorsichtig.

„Ich weiß nicht", antwortete Rico erstaunlich gelassen. „Ich will schon für etwas kämpfen oder vielleicht auch gegen etwas, aber nicht so."

George wagte sich nun etwas selbstbewusster vor. „Du bist ja schlimmer als meine Ex–Freundin", kicherte er, „so unentschlossen, wie du bist."

Nun hatte er Rico tatsächlich ein kleines Schmunzeln entlockt.

„Wann sind wir endlich da? Weißt du schon, wo du hinläufst, oder hältst du die Karte etwa falsch herum?", grummelte Rico schnell, um den kurzen Moment der Heiterkeit zu überspielen. Rico war es ein Rätsel, woher George wusste, wie er die Karte halten musste, daher war er stetig skeptisch, ob dieses Eichhörnchen damit überhaupt irgendetwas finden könnte.

„Hier", antwortete George, „Nordbank Nummer 189." Die schmalen, dicht bebauten Wege hatten den Blick auf das Gebäude bis zum letzten Moment verborgen gehalten, aber nun standen sie davor.

Vor ihnen ragte ein schwarzes, monolithartiges Gebäude in den Himmel, so weit, dass sich seine Spitze in den Wolken verlor.

Die Nordbank

W illkommen in der Nachtschicht", wehte es ihnen entgegen, als sie das Büro von Herrn Sparsam betraten. Herr Sparsam war ein hagerer Orang-Utan: schlank, fast zierlich, mit einem zerzausten Haarkranz, der seinen länglich geformten Kopf zierte. Eine Nickelbrille saß, fast klischeehaft für einen Buchhalter, auf seiner Nase und tiefe Sorgenfalten hatten sich ihren Weg durch sein Gesicht gegraben.

Doch als er loslegte, hörte die auf den ersten Blick so zaghafte, drahtige, langweilig wirkende Figur nicht mehr auf zu reden. „Wir haben keine Zeit, Zeit ist Geld. Wir müssen die X–Beliebigen über die Y-Spalten verbuchen. Dabei ist wichtig, immer eine Doppelabnahme zu fahren – Vier-Augen-Prinzip, versteht sich. Wenn die X–Beliebigen dann gebucht sind, müssen die Y-Werte im Formular A606 eingetragen werden. Wir müssen damit bis spätestens morgen um 15:30 Uhr fertig sein."

Es folgte eine Flut weiterer Erklärungen und Verweise auf Regeln und Prozeduren, die er ohne Punkt und Komma herunterratterte.

Rico hatte große Schwierigkeiten, den Ausführungen des guten Herrn Sparsam zu folgen, ja er hatte sogar Schwierigkeiten, die Augen offen zu halten. Noch nie im Leben hatte er etwas so Bedeutungsloses gehört. Nur das ab und zu eingeworfene „Sir, yes, Sir!" von George ließ ihn immer wieder hochschrecken, ansonsten hatte Rico schon nach zwei Minuten aufgehört, dem Vortragenden zu folgen. Seine Gedanken waren eher abgeschweift, nach Frankreich und zu seinem Rehlein, das er nie vergessen wollte und nie vergessen sollte.

Irgendwann war Herr Sparsam fertig mit seinen Ausführungen. George quittierte dies mit einem letzten „Sir, yes, Sir" und sie wurden in einen kargen Raum geführt. Er war fensterlos, wurde von einer weißen Neonröhre an der Decke erhellt und es gab zwei Tische mit jeweils einem schmucklosen Holzstuhl davor.

„Bitte nehmen Sie Platz, da ist der Stapel Papier, bitte arbeiten Sie effizient und sparsam." Damit verließ der hagere Orang-Utan den Raum und die Tür war schon fast zugefallen, als George noch ein letztes „Sir, yes, Sir" nachschob.

Rico schnaubte George an: „Was soll dieser Mist? Ich habe NICHTS verstanden. Wie lange sollen wir diesen Blödsinn hier machen? Ich will endlich nach Frankreich!"

„Entschuldige, Rico, aber dann hättest du wenigstens die Ente plattmachen oder einem anderen Kampf zustimmen müssen. Das hier ist der Weg für die meisten Arbeiter, die keinen anderen Job bekommen. Es dauert nun eben deutlich länger. Wir werden die nächsten hundertzwanzig Tage hier arbeiten, schlafen und essen. Nur so bekommen wir genug Geld, um nach Frankreich zu kommen. Tröste dich, dein Rehlein wird auch nicht schneller sein. Ach ja, damit wir das wirklich in hundertzwanzig Tagen schaffen, müssen wir beide mindestens zehn Stunden pro Tag schuften, um diesen Stapel Papier", er deutete auf den sich mindestens drei Meter hoch auftürmenden Stapel vor ihnen, „abarbeiten zu können. Von unserem Geld müssen wir dann auch noch die Kantine in diesem Büro bezahlen, damit wir etwas Essbares bekommen. Wenn man das mit einrechnet, müssen wir glatte hundertvierzig Tage hier arbeiten."

Georges Worte rauschten an Rico vorbei. Er hörte sie, akzeptierte sie aber keineswegs. Es war mittlerweile weit nach Mitternacht und es war für ihn klar, dass es einen anderen Weg geben musste. Doch davon konnte er erst einmal nur träumen, denn er sank in seinen Stuhl und fiel erschöpft in einen tiefen Schlaf.

Die X-Beliebigen

U m die Aufgabe besser verstehen zu können, möchten wir sie dem geneigten Leser an dieser Stelle bildlich darstellen, da die Ausführungen von Herrn Sparsam wohl den Rahmen dieses Buches sprengen würden. Es ist tatsächlich außerordentlich wichtig, dass Sie diese Aufgabe verstehen, denn nur so können Sie auch im Detail nachvollziehen, wie Rico und George sich zu diesem Zeitpunkt gefühlt haben müssen.

X-Beliebige	Y-Spalten	Doppelabnahme	A606 Formular	Kommentar	Abarbeitungsquote in %	Syst
d34lkjasf023	T38 § 3	x	Seite 102 - 108	XF muss nachgeholt werden	300%	LDU
lsjf2304234	T684 §3	x	Seite 108 - 112	Keine Freigabe von ZA Abteilung B	500%	UZH
lklk2342342	T990 §1	x	Seite 112 - 119	Warte auf Feedback	700%	LKEJ
sdf2342342	T38 § 4	x	Seite 102 - 109	Freigabe erteilt	900%	LDU
sddlkfjalk2348234	T684 §4	x	Seite 108 - 113	Freigabe erteilt	2500%	UZH
sf23423	T990 §2	x	Seite 112 - 120	Freigabe erteilt	9000%	LKEJ
xsfw342	T38 § 5	x	Seite 102 - 110	Ergänzender Kommentar nötig	100%	LDU
d34lkjasf024	T684 §5	x	Seite 108 - 114	x-beliebige wird revisioniert	200%	UZH
lsjf2304235	T990 §3	x	Seite 112 - 121	XF muss nachgeholt werden	4000%	LKEJ
lklk2342343	T38 § 6	x	Seite 102 - 111	Keine Freigabe von ZA Abteilung B	3756%	UZH
sdf2342343	T684 §6	x	Seite 108 - 115	Warte auf Feedback	4102%	UZH
sddlkfjalk2348235	T990 §4	x	Seite 112 - 122	Freigabe erteilt	4449%	LKEJ
sf23424	T38 § 7	x	Seite 102 - 112	Freigabe erteilt	4796%	LDU
xsfw343	T684 §7	x	Seite 108 - 116	Freigabe erteilt	5142%	UZH
d34lkjasf025	T990 §5	x	Seite 112 - 123	Ergänzender Kommentar nötig	5489%	LKEJ
lsjf2304236	T38 § 8	x	Seite 102 - 113	x-beliebige wird revisioniert	5836%	LDU
lklk2342344	T684 §8	x	Seite 108 - 117	XF muss nachgeholt werden	6182%	UZH
sdf2342344	T990 §6	x	Seite 112 - 124	Keine Freigabe von ZA Abteilung B	6529%	LKEJ
sddlkfjalk2348236	T38 § 9	x	Seite 102 - 114	Warte auf Feedback	6876%	LDU
sf23425	T684 §9	x	Seite 108 - 118	Freigabe erteilt	7222%	UZH
xsfw344	T990 §7	x	Seite 112 - 125	Freigabe erteilt	7569%	LKEJ
d34lkjasf026	T38 § 10	x	Seite 102 - 115	Freigabe erteilt	7916%	LDU
lsjf2304237	T684 §10	x	Seite 108 - 119	Ergänzender Kommentar nötig	8262%	UZH
lklk2342345	T990 §8	x	Seite 112 - 126	x-beliebige wird revisioniert	8609%	LKEJ
sdf2342345	T38 § 11	x	Seite 102 - 116	XF muss nachgeholt werden	8956%	LDU
sddlkfjalk2348237	T684 §11	x	Seite 108 - 120	Keine Freigabe von ZA Abteilung B	9307%	UZH

Im gezeigten Bild sieht man leider nur einen Ausschnitt aus der Anzahl an Variablen und Informationen, die miteinander in Einklang gebracht werden sollen. Die X-Beliebigen sind abstrakte Werte, die sich aus einem Stapel an Dokumenten ergeben. Keiner weiß genau, wofür sie stehen. Das Verbuchen ist ein aufwendiger Prozess, denn man muss zunächst ein Verständnis davon bekommen, wie viel Prozent der Abarbeitungsquote im Fachbereich der Bank für eine der entsprechenden Y-Spalten veranschlagt werden. Meistens ist man sich diesbezüglich recht unsicher, daher muss man das erwähnte Formular A606 beziehungsweise eine frühere Version davon mit den jeweiligen Ansprechpartnern im Fachbereich durchgehen und dort wieder einige unverständliche Variablen prüfen, die dann … lesen Sie noch oder schlafen Sie schon? Es war wirklich entmutigend!

Rico und George saßen wortlos vor ihrem Stapel Papier. George nahm eines der Blätter und mühte sich mit den kleinen auszufüllenden Kästchen ab. Rico sah ihm nur stumm dabei zu. Georges Stift machte nervende Quietschgeräusche, während er versuchte, die X-Beliebigen umständlich einzutragen. Ricos Blick wandelte sich langsam, Wut spiegelte sich in seinen Augen, sodass er schließlich das Schweigen unterbrach.

„Ich mache das nicht!", presste er hervor. „Ich mache es nicht! Es muss doch noch einen anderen Weg geben, nach Frankreich zu kommen."

George ließ sich ein paar Sekunden Zeit, ehe er sich an eine Antwort wagte. „Ja, den gibt es", erwiderte er und Rico horchte kurz auf, als gäbe es neue, überraschend gute Nachrichten. „Dafür müsstest du aber unter Umständen eine Ente ins Jenseits befördern oder ein paar Affen oder wenigstens eine Katze", fuhr George desillusionierend fort. „Aber das willst du ja nicht."

„Ich will DAS hier nicht!" Rico fegte mit einem Handstreich den Stapel Papier vom Tisch. Er stand auf, verließ den Raum und ließ einen ziemlich ratlosen George allein zurück.

Ist das Kunst oder kann das weg?

Die Gänge der Nordbank waren trist und grau. Sie schienen endlos. In regelmäßigen Abständen erleuchteten weiße, funktionale Neonröhren den engen Gang und sorgten für nüchterne Ausleuchtung.

Rico schlurfte mehr, als dass er ging. Er wollte hier weg, nach Frankreich. Er wollte sich verbessern, sich entwickeln. Aber was war stattdessen passiert? Er war an einem Ort, der gar kein Ort sein wollte. An dem er etwas tun müsste, das keinen Sinn versprach. Mit einem vermeintlichen Unterstützer, von dem er nicht wusste, ob er wirklich ein guter Ratgeber war. Auf einer Mission, die vielleicht zum Scheitern verurteilt war. Auch über sein eigenes Verhalten war er nicht besonders glücklich. Einfach den Stapel Papier vom Tisch zu fegen, war keine Lösung. Ein echter Franzose hätte das wahrscheinlich anders gemacht. Über all das dachte er immer und immer wieder nach, bis er sich in den unendlichen Fluren der Nordbank verloren hatte.

Rico sah sich auf dem Gang um. Alles sah gleich aus. Nur selten begegnete ihm einer der sehr unterschiedlichen Mitarbeiter. Sein Blick schweifte in die Ferne, als er plötzlich etwas Buntes im grauen Monoton der Büroflure entdeckte.

Jemand hatte etwas mit Farbe an die Wand gekritzelt. „Fight the System" stand da in roten und grünen Lettern. *Fight the System?*, dachte sich Rico verwundert. Er stand einige Zeit davor und wunderte sich, was die fremden Worte bedeuten sollten, bis ihm plötzlich jemand von hinten auf die Schulter tippte.

Ruckartig drehte er sich um – er mochte es gar nicht, wenn sich jemand von hinten an ihn heranschlich. „Wer bist du, was machst du und warum schleichst du dich von hinten an mich ran?!", herrschte er die unbekannte Figur an.

Vor ihm stand ein Hase, der etwas ängstlich dreinblickte. „Entschuldigen Sie – ich dachte, Sie wären interessiert an meiner Kunst", sagte er.

„Was für Kunst?", fragte Rico irritiert.

„Nun ja", sagte der Hase, „ich habe dort an die Wand in roten und in grünen Lettern ‚Fight the System' geschrieben. Das ist Teil meiner Kunst."

Rico verstand nicht. Was sollte das sein mit dieser Kunst? Waren das nicht diese Bilder mit verschwommenen Farbtupfern, die irgendwelche Verrückten malten? So direkt wollte er das aber nicht sagen, denn der Hase schien ja etwas davon zu verstehen – er selbst hatte das nie durchschaut. Also entschied er sich, nur vorsichtig zu entgegnen: „Erzähl mal, ich interessiere mich im Moment eh für Fremdsprachen und habe Nachholbedarf in Französisch."

„Nun ja", sagte der Hase etwas verunsichert, denn er wusste nicht, was sein Spruch mit Französisch zu tun hatte, wollte aber auch nur ungern einen Gorilla korrigieren. „‚Fight the System' heißt ja ‚Kämpft gegen das System'. Ich habe das Wort ‚Fight' in Rot geschrieben, weil es aggressiv ist, und ‚gegen das System' habe ich in Grün geschrieben, weil nur das Frieden bringen kann. Man muss also kämpfen, um Frieden zu erlangen. Ich finde schon, dass das Kunst ist. Zumindest ein bisschen." Er wirkte ein wenig verlegen.

Die Erklärung des Hasen ließ Rico aufhorchen. Er schien kreativ zu sein. Zumindest hatte er eine klare Sicht auf die Dinge. Irgendwie sagte ihm ein Gefühl, dass dieser Hase genauso wenig hier arbeiten wollte wie er.

„Die Nordbank ist ungeheuer ätzend", meinte Rico. „Wir sollten gegen sie kämpfen. So ein Kampf würde sich dann wenigstens lohnen."

„Das meine ich auch, ja", meinte der Hase, der sich im Übrigen als Hannes vorstellte. „Wir müssen die Tiere gegen die Nordbank aufrütteln. Aber ich kann das ja nicht allein. Außerdem bin ich nicht gerade mutig", fügte er schüchtern hinzu.

„Ich bin mutig!", platzte es aus Rico heraus. Er fühlte sich plötzlich wieder hoch motiviert und es schien fast so, als hätte er seine Bestimmung gefunden. „Hast du noch einen Stift?", fragte er den Hasen. „Lass uns die anderen aufrütteln und die Nordbank, diesen überflüssigen Laden, den werden wir durchrütteln. Dann bekommen wir das Geld, das uns allen zusteht, und ich kann diesen schrecklichen Ort endlich verlassen."

Wo ist Rico?

„FIGHT THE SYSTEM" stand in riesigen Lettern an der Wand, vor der George stand und über Rico nachdachte. Wo war dieser Affe nur? Und wer hatte diese riesigen Buchstaben an die Wand gemalt? Alle drei Wörter waren in Rot geschrieben und man merkte ihnen an, dass sie in Wut hinterlassen worden waren.

„Jean-Pierre?", fragte George in die Leere, aber außer einem leisen Echo tönte nichts aus den noch dunklen Bürofluren zurück.

Es war frühmorgens, George hatte im Büro geschlafen und war erst vor Kurzem aufgestanden. Er hatte eigentlich damit gerechnet, dass Rico in der gleichen Nacht noch zurückkommen würde, aber er war nicht mehr aufgetaucht. „Mist!", fluchte George. „Mist, Mist, Mist! All die Mühe umsonst!" Er lief weiter und es zeigten sich neue Buchstaben an der Wand: „Destroy the System!" Der Schreiber schien also im nächsten Gang bereits etwas selbstbewusster geworden zu sein. Einen Gang weiter entdeckte George erneut einen Spruch, diesmal in noch größeren Buchstaben: „Destroy what destroys you!"

„Jean-Pierre?", fragte George sehr verunsichert in den nächsten Flur hinein, denn George konnte als einer der wenigen hier Englisch und wusste, dass die mögliche Kombination aus wütendem Gorilla und „Destroy" keine gute sein konnte. Hatte Rico sich irgendeiner radikalen Gruppe angeschlossen?

Doch er war nicht aufzufinden. Rico war mittlerweile enorm mit seiner Revolution beschäftigt und hatte dafür sogar weitere Verbündete gefunden. Ein Schaf, ein Bock und ein Kater hatten sich ihm und dem Hasen Hannes angeschlossen. Der Name des Schafs war Harald, der Bock hieß Peter und der Kater Rudi. Alle wollten nicht mehr.

„Ich kann nicht mehr", sagte das Schaf, als Rico ihre Aktion erklärte und ihm anbot, sich anzuschließen – es willigte sofort ein.

„Ich habe keinen Bock mehr", sagte der Bock und der Kater sagte: „Die können mich mal!"

Sie hatten sich sogar ein Symbol zurechtgelegt. Rico malte ein großes F an die Wand – für „Freiheit" und für „Frankreich" – und umkreiste es mit seinem Stift. „F" stand auch für „Fight" und für „Frieden" (durch Kampf).

Zugegebenermaßen hatte der kleine Künstlerhase bei der Gestaltung des Logos assistiert, aber er freute sich auch mit Rico, denn wenn ein so großer, gefährlicher Gorilla den Sinn in seiner Kunst erkannt hatte, dann würde die Welt sein Talent eines Tages sicherlich auch entdecken.

Sie bogen nun gerade um die Ecke, als Herr Sparsam plötzlich wie aus dem Nichts auftauchte. Den Blick auf die Uhr gerichtet und das Gesicht in Sorgenfalten gelegt, übersah er den Kater und stolperte direkt über ihn.

Rudi fauchte, Herr Sparsam fiel und knallte mit einem überraschten Schrei direkt auf den Boden. Er stöhnte und bemerkte erst dann die herumstreunenden Tiere. „Was bitte ist das für eine Arbeitsmoral? Es ist 07:30 Uhr und Sie finden Zeit dafür, auf dem Flur spazieren zu gehen?" Er schien die Graffitis an der Wand noch gar nicht bemerkt zu haben.

„FIGHT THE SYSTEM", entfuhr es Rico und die anderen Tiere stimmten sofort mit einem gemeinsamen „FIGHT THE SYSTEM" ein.

Herr Sparsam wurde zornig. „Was fällt Ihnen überhaupt ein?! Wir bezahlen überdurchschnittlich gut. Die Südbank bezahlt viel schlechter, wollen Sie etwa versetzt werden? Glauben Sie, Sie verdienen sich hier auch nur einen Schein, wenn Sie unflätige Äußerungen von sich geben? Sie müssen doch einen Nutzen mit sich bringen. Bringen Sie mir überhaupt irgendetwas? Oder sind Sie entbehrlich? Helfen Sie mir gefälligst auf, Sie unnützes Vieh!"

Das Schaf blickte schockiert drein und sagte leise: „Also ich will auf keinen Fall wieder zur Südbank. Ich bin eigentlich ganz, ähm, zufrieden hier in der Nordbank."

Der Bock sagte: „Na, dann geh' ich wohl lieber mal wieder an die Arbeit."

Der Kater sagte gar nichts und drehte sich einfach weg, um wieder in Richtung Büro zu laufen. Der Hase bibberte nur.

Doch mit einem hatte niemand gerechnet. Plötzlich stand George am Flurende, er hatte Rico tatsächlich gefunden (was eigentlich auch nicht so schwer war, denn in der Regel war niemand auf den Fluren, es war leise, es herrschte geradezu Totenstille). Die „Fight the System"-Rufe waren kaum zu überhören gewesen, außer man war so beschäftigt wie Herr Sparsam. George räusperte sich, sprang auf das Gesicht des immer noch am Boden liegenden Buchhalters und piepste so laut es ging: „FIGHT THE SYSTEM! ALLES FÜR ALLE, BIS ALLES ALLE IST!"

Alles für alle, bis alles alle ist!

Mittlerweile hatte sich eine große Gruppe um Rico, George und den Hasen Hannes geschart. Sie zogen gemeinsam durch die Gänge der Nordbank auf der Suche nach einem Verantwortlichen.

Überall waren Schmierereien. Einige hatten Georges Parole adaptiert und an einer Wand verewigt: „Alles für alle, bis alles alle ist!" Manche hatten auch einfach nur ihren Namen geschrieben. Nicht jeder verstand überhaupt den Leitspruch „Fight the System", da fast keines der Tiere Englisch sprach. Die ganze Truppe war nicht gerade zielorientiert unterwegs.

Plötzlich kam Hannes auf eine Idee. „Die Verantwortlichen sitzen immer ganz oben im Turm, denn sie lieben es, auf alle anderen herabzuschauen! Wir sollten die oberen Etagen dieses Turms stürmen und uns holen, was uns zusteht!", schlug er mit erhobenem Zeigefinger vor.

George und Rico nickten zustimmend. Alle hielten es für eine gute Idee. Also liefen sie miteinander die Treppen hoch, bis sie ganz oben in der Chefetage angekommen waren.

Es war ein exklusiver Anblick: Die Räume hatten hohe Decken und die Wände waren mit großflächigen Gemälden dekoriert. Es waren weite, offene Büros, nur wenige Wände waren massiv, die meisten gläsern. Riesige Fensterflächen boten eine schöne Aussicht auf die Stadt, die von hier oben wieder so vielversprechend aussah wie aus weiter Ferne. Es war fast keiner da, nur am Ende des Ganges brannte Licht.

Die Meute machte sich auf den Weg und entdeckte einen alten Mantelpavian mit einem weißen Rauschebart, der etwas müde wirkend an seinem Schreibtisch lehnte und las.

Rico stieß die angelehnte Tür auf, George und Hannes folgten dicht gedrängt.

Der alte Pavian sah sie verwundert an und krächzte mit greiser Stimme: „Ich empfange heute nicht. Termine bitte beim Sekretariat ausmachen. Danke." Er wandte sich wieder seiner Zeitung zu, ohne dem Haufen Aufständischer Beachtung zu schenken.

Rico räusperte sich vernehmlich. „Hallo?!"

Der alte Pavian ignorierte ihn einige Zeit, nahm dann seine Lesebrille ab und wiederholte: „Ich empfange heute nicht. Termine bitte beim –"

„MOMENT MAL!" Rico unterbrach den Greis. „Sie, Sie, Sie ... ähm ..." Er stotterte ein wenig herum, denn er war sichtlich überfordert mit der Situation. Er war es nicht gewohnt, vor einer großen Gruppe zu sprechen.

Hannes sprang daher ein: „Wir fordern einen gerechten Lohn. Wir wollen keine Schichtarbeit mehr. Außerdem wollen wir nur noch Arbeit machen, die auch Sinn macht. Und wir möchten ausbezahlt werden, jetzt sofort!"

Der alte Mann sah die Aufständischen wieder verwundert an. „Seid ihr von der Gewerkschaft?", murmelte er, mehr sich selbst fragend als die Gruppe.

„Wo ist das Geld?", fragte George forsch und direkt. Er fügte verschwörerisch flüsternd hinzu: „Das System ist nämlich am Ende."

„Welches System eigentlich?", fragte Rico. „Ich habe das alles hier noch nicht so richtig verstanden. Was sollen diese X-Beliebigen überhaupt? Und wieso müssen wir hier stapelweise unnützes Papier ausfüllen?"

„Ah ...", stöhnte der alte Pavian. „Ich wusste, dass das einmal passieren würde." Er richtete sich ein wenig auf, als müsste er der vor ihm versammelten Gruppe mit Würde gegenüberstehen – oder zumindest sitzen.

„Was denn?", fragte Rico. Was meinte der alte Pavian? Er war gespannt auf eine Erklärung.

Der alte Herr erhob sich.

Die Geschichte von Kleindorf

V or vielen, vielen Jahren", begann er, „gab es hier einmal ein Dorf. Es hieß Kleindorf, denn es war klein. Es hatte keine größere Bedeutung, außer dass es ein Ort war, an dem alle Affen und anderen Tiere friedlich miteinander lebten. Allerdings wurden es immer weniger Tiere und so hatte man Angst, dass irgendwann niemand mehr hier sein würde. Die Alten wären auf sich gestellt und die wenigen Jungen würden auch noch weggehen.

Daher sagte man sich, es müsste doch etwas geben, eine Idee, eine Erfindung oder wenigstens einen Vorschlag, um neue Tiere in das Dorf zu bringen. Ein Versprechen. Ein Wunder, das allen Hoffnung geben würde.

Man muss dazu wissen, dass es damals sehr umständlich war, an Obst und Gemüse zu kommen, aber auch generell an andere Dinge, denn wir *tauschten* unsere Waren. Das war der eigentliche Grund für den Weggang der Tiere. Wir hatten zum Beispiel einen Hund im Dorf, der ganz besonders schöne Schränke bauen konnte. Aber er musste sein Geschäft aufgeben und wegziehen, denn er brauchte für einen Schrank mindestens einen Monat. Dadurch hatte der Schrank natürlich einen hohen Wert. Diesen Wert konnte Nachbar Bemmelmann mit seinen Äpfeln aber nicht bezahlen – die Erntezeit war noch nicht gekommen und sein gelagertes Obst war nicht ausreichend. Das war nur eines von vielen Problemen, die das Dorf hatte, weil eben so wenige darin lebten und nicht immer die passenden Tauschgeschäfte gemacht werden konnten.

Die Alten und Weisen der Dorfgemeinschaft kamen daher auf eine Idee: Sie erfanden Scheine. Sie fertigten in einer Werkstatt, die sie „Bank" nannten, kleine Schuldscheine an, die sie mit Nummern bezifferten und die dem Wert eines Apfels entsprechen sollten. Der Bürgermeister der Stadt durfte den Befehl geben, Schuldscheine zu drucken und sie an vertrauenswürdige Bürger auszugeben.

So erhielt zum Beispiel Herr Bemmelmann für seinen Apfelbetrieb tausend Scheinäpfel. Davon bezahlte er nur hundert mit seinen wirklichen Äpfeln – den Rest blieb er schuldig. Der Bürgermeister vermerkte dies auf Papier und Herr Bemmelmann verpflichtete sich, die Summe in den nächsten Monaten mit seinen Äpfeln zurückzuzahlen. So konnte die Erntezeit mitberücksichtigt werden.

Herr Bemmelmann hatte nun die Möglichkeit, mit seinem Geld einen Schrank zu bezahlen, ohne vorher ein Jahr Äpfel pflücken zu müssen."

Rico wurde müde. „Können Sie das … ähm, können Sie das, können Sie …" Er wirkte etwas unsicher.

George half ihm: „Können Sie das kurz und knapp auf den Punkt bringen, Herr, ähm, Dings, Sir!?"

Der alte Pavian wirkte ein wenig verärgert. „Ja, ja, ich bin ja schon fast fertig. Die Scheine waren eine großartige Erfindung", fuhr er fort, „so toll, dass immer mehr Tiere in das kleine Dorf kamen. Es wurde immer größer. Herr Bemmelmann hatte immer mehr Abnehmer für seine Äpfel und der Hund, der so großartige Schränke baute, kam wieder zurück, denn seine Arbeit wurde gebraucht und nun auch anständig bezahlt. Irgendwann war das Dorf so groß, dass es kein Dorf mehr war. Es war eine Stadt. Man nannte sie: Die Stadt der Arbeit.

Leider gab es auch Tiere, die nichts beizusteuern hatten. Sie konnten keinen Schrank bauen und es gab längst nicht genug Land für alle, um Äpfel anzubauen. Sie brauchten aber Schränke und Äpfel und Kleidung. Irgendwann würde man schon eine sinnvolle Tätigkeit für sie finden und irgendwie war der Zuzug auch gut für alle, denn die Stadt wuchs so immer weiter. Dadurch gab es immer etwas zu tun.

Unter dem Ansturm der Neuen wusste aber bald keiner mehr, was man mit den vielen Zugereisten machen sollte. Man konnte ihnen ja nicht einfach so Geld geben für nichts, denn dann lägen sie ja nur noch auf der faulen Haut herum.

Daher stellte die Bank sie alle ein, schließlich druckte die Bank auch das Geld und der Bürgermeister stand an ihrer Spitze. Am Anfang halfen die armen Schweine beim Geldsortieren und verwalteten die Schuldscheine, die eigentlich gar nichts mehr wert waren, denn man druckte sie ja für jeden. Wenn jemand auf einen Schlag alle seine Schuldscheine gegen Äpfel hätte einlösen wollen, hätte sich natürlich herausgestellt, dass es gar nicht so viele Äpfel, Schränke und Kleidung gab.

Es konnte nur funktionieren, wenn immer noch mehr in die Stadt kämen, um für das Versprechen der Erfüllung von ersehnten Wünschen an nichtigen Dingen zu arbeiten. Irgendwann würde man sie schon einmal gewinnbringend einsetzen können. Einfach nur, um zu wachsen und um durch dieses Wachstum alle anderen mit Arbeit zu beschäftigen. Die Bewohner und deren Gerechtigkeitssinn würden damit erst einmal befriedigt werden.

Nachdem es immer mehr Tiere gab, die in die Stadt wollten und die man erst mal nicht brauchen konnte, baute man in jeder Himmelsrichtung eine Bank. Die Nordbank, die Südbank, die Westbank und die Ostbank. Sie wurden immer größer. Wir mussten immer neue, immer kompliziertere unnötige Dinge erfinden, um die armen Schweine zu beschäftigen."

Der alte Pavian blickte kurz auf und fügte hinzu: „Tja, es sind ja mittlerweile auch Hasen, Eichhörnchen und, ähem, sogar Gorillas." Er sah Rico ein wenig genauer durch seine Lesebrille an, um zu prüfen, ob dieser muskelbepackte Affe womöglich eine Gefahr darstellen könnte.

„Nun ja, wie dem auch sei", fuhr er letztendlich fort, „es wurden immer mehr und mehr und ich habe schon befürchtet, dass irgendwann jemand bemerkt, dass dies alles eigentlich keinen großen Sinn mehr macht. Wir blicken ja schon lange nicht mehr durch, dieses System ist kaum zu kontrollieren."

„Wir schaffen dieses System ab!", entgegnete Rico dem alten Pavian entschieden.

Der blickte schweigend zu Boden und sagte erst gar nichts. Ohne seinen Blick zu heben, entgegnete er ohne Widerspruch: „Aber was dann?" Schließlich blickte er Rico direkt in die Augen. „Meinst du, das wird deine Probleme lösen? Was brauchst du – Äpfel? Einen Schrank? Vielleicht kann ich ja helfen, mal sehen." Er fing an, in einer Schublade nach Dingen zu kramen.

„Ich will keinen Apfel! Ich will nach Frankreich. Ich will diesen Ort, diese Stadt, alles hier verlassen und ein besseres Leben anfangen!", sagte Rico, nun wieder sehr entschlossen.

„Ja!", pflichtete der Hase bei. „Fight the System – ich will alles, denn wir sind alles." Er strahlte über das ganze Gesicht, denn er war wieder der Meinung, große Kunst von sich gegeben zu haben, dieses Mal in poetischer Form.

„Wo ist das Geld?", fragte George forsch und der alte Mann deutete etwas müde, aber auch gleichgültig auf einen großen Tresor am anderen Ende des Korridors. „Da ist der Vorrat, der Schrank ist nicht mal verschlossen, aber passt auf, es ist nie genug für alle da."

Da preschten die Schweine als Erstes vor, sie rammten Rico von der Seite, sodass er zu Boden fiel, und versuchten, alles für sich in Beschlag zu nehmen.

„Aufstehen!", fuhr George Rico an. „Willst du nicht für uns und Hannes, der diese Idee hatte, ein wenig erbeuten?"

Rico stand auf und kämpfte sich seinen Weg vor bis zu den Schweinen.

Der siebenunddreißigste Stock

Es war nicht nur ein Tresor, es waren ganze Räume voll mit Tresorschränken, die die Schuldscheine – das Geld der Nordbank – lagerten. Der ganze Krach und die lautstarken Forderungen hatten sich mittlerweile im ganzen Gebäude herumgesprochen, denn die Treppen führten ja durch jedes Geschoss des Hochhauses und die „Fight the System"-Schreie waren in jeden Bürogang vorgedrungen.

Fast alle waren auf dem Weg nach oben, manche aus Neugier, andere, weil sie den Worten Glauben schenkten, nie mehr arbeiten zu müssen. Eine ganze Horde drängte immer stärker in das oberste Stockwerk und in Richtung der Tresorräume, die schutzlos vor ihnen lagen und mit dem Versprechen lockten, wohl nie wieder einen Finger rühren zu müssen.

Die Nordbank hatte insgesamt siebenunddreißig Stockwerke. Man mag sich nur einmal vorstellen, wie denn alle Mitarbeiter, die Frühschicht, die Tagschicht und die Nachtschicht, aus allen Stockwerken zusammen in die oberste Etage passen sollten. Aber leider wollten alle alles und niemand wollte mehr etwas dafür tun, außer sich endlich Recht zu verschaffen.

Langsam machte sich Panik breit, denn es war einfach nicht genug Platz im obersten Stockwerk. Rico hatte George längst aus den Augen verloren, aber einige Bündel Scheine erbeutet. Hannes war auf einen Schrank gesprungen, um die Übersicht zu behalten. Der Kater und der Bock waren irgendwo in diesem Gewimmel und Rico verspürte ein neues Gefühl, das er so bisher eigentlich noch nie gehabt hatte – er machte sich Sorgen um seine neuen Freunde.

Die Schweine hatten keine Zeit für Gefühle – sie nahmen keine Rücksicht auf Verluste. Sie zündeten Papier an, das überall herumlag, um andere Tiere damit zu verscheuchen. Rauch und Flammen machten sich breit, Tiere schlugen wild um sich. Die Hunde fingen an, die Katzen zu jagen. Na ja, das war wohl allgemein nichts Ungewöhnliches.

Aber je mehr in den siebenunddreißigsten Stock drängten, umso mehr Panik machte sich breit. Der Rauch wurde dicker, die Tiere nervöser und gewalttätiger. Rico beschloss einzugreifen, als er sah, dass ein kräftiger Schimpanse den Hasen offenbar als Keule verwenden wollte. Er sprang noch vorne, schubste den bösartigen Affen auf die Seite und schnappte sich Hannes, um ihn nach draußen zu bringen.

„Warte hier!", keuchte Rico, denn der Rauch machte auch ihm zu schaffen. Er lief zurück, er schlug sich durch die Menge, er kämpfte, schimpfte und fluchte, bis er jeden seiner neuen Kameraden – den Kater, den Bock und schließlich auch das Schaf – gerettet hatte.

„Wo ist George?", fragte Rico, immer noch keuchend – aber keiner wusste eine Antwort. Sie flüchteten nach unten, Stockwerk für Stockwerk, denn das ganze Gebäude schien unter der Panik der Tiere zu wanken. Gang für Gang wurde in Brand gesetzt – jeder machte seinem Zorn Luft. Gläser zersprangen, Türen zerbarsten, Neonlichter wurden eingeschlagen.

Eine Flut an Tieren war mittlerweile auf der Flucht von oben nach unten. Als sie schließlich – endlich! – nach siebenunddreißig Stockwerken das Erdgeschoss erreichten und das Gebäude verlassen konnten, sammelte sich eine große Anzahl von ihnen vor dem Ausgang.

Den Blick nach oben gerichtet, sah Rico, wie sich der Himmel schwarz färbte, Fenster des Hochhauses waren zersprungen. Manche Tiere sprangen aus Panik vor Feuer und Rauch aus den Fenstern und hatten dabei kaum Überlebenschancen. Sogar auf den Straßen machte sich Panik breit – Tische und Papier brannten und Scheiben wurden eingeschlagen. Der Ruf nach schnellem Geld und die Möglichkeit, einen Teil davon zu erhaschen, schien sich nun sogar in der ganzen Stadt der Arbeit herumgesprochen zu haben.

Doch dann stand für einen Moment die Zeit still. Die Rauch-
wolken waren wie eingefroren und Rico hörte die lauten Schreie,
das Klirren und die knisternden Flammen nur noch gedehnt und
dumpf, als wären es Walgesänge. Ein Fenster im zweiten Stock
öffnete sich, dahinter bewegte sich etwas in Panik, ehe es umständlich durchsteigen und nach unten springen konnte.

Wie in einem Film sah Rico nun wieder klar und deutlich. Die
Zeit und alle Bewegungen liefen wieder in normaler Geschwindigkeit ab, sodass er kaum reagieren konnte, als das zarte Etwas
panisch über ihn hinwegsprang, um so schnell wie möglich diesem gefährlichen Ort zu entkommen.

Es war das verängstigte kleine Rehlein.

Georges Kampf

George stapfte missmutig über die Felder. Was für ein vertanes Investment! Wie viel Mühe hatte er sich doch gemacht, einen loyalen Eindruck zu vermitteln und diesem dicken, dummen Gorilla das Gefühl zu geben, er hätte einen disziplinierten, selbstlosen Unterstützer. Aber nun schien alles vergebens. Er hatte in diesem ganzen Chaos seine größte Hoffnung verloren.

Doch so, wie es aussah, war dieser Affe eh nicht in der Lage, ihn nach Hause zu bringen. Er wollte ja noch nicht einmal für Geld kämpfen! Hatte er überhaupt etwas erbeutet? Oder in einem sentimentalen Anfall nur seine Freunde gerettet?

George war auf dem Weg in die Stadt des Geldes, denn mit Sicherheit lief die ganze Meute nun in diese Richtung. Das gestohlene Geld musste schließlich ausgegeben werden. Aber wie hineinkommen, wenn man nichts davon besaß? Und selbst wenn er hineinkäme – ohne Scheine keine Chance auf den teuren Heimflug nach England.

Er musste es wenigstens versuchen, vielleicht traf er ja am Tor eines von den armen Schweinen, das ein paar Scheine erbeutet hatte, und konnte es mit einer List dazu bringen, ihm etwas abzugeben. Dann könnte er wenigstens in der Stadt des Geldes nach diesem verrückten Möchtegern-französischen Affen suchen und sich ihm wieder anschließen. Ein ausgewachsener Gorilla, sogar mit etwas Silber am Rücken, der nicht in der Lage war, auch nur ein paar Scheine zu verdienen … „das gibt es doch nicht!" George war so wütend, dass er gar nicht bemerkt hatte, wie er wild gestikulierend mit sich selbst sprach.

Die Stadt des Geldes lag nicht weit von der Stadt der Arbeit entfernt. Der Weg war relativ angenehm und wenn man einfach – wie George – querfeldein ging, dann konnte man diesen sogar noch abkürzen. Vielleicht würde er so die Meute, die mit Sicherheit etwas früher aus dem Gebäude entkommen war als er, noch einholen und „Jean-Pierre" rechtzeitig erreichen.

Es dauerte nicht lange, bis sich die Stadt des Geldes vor ihm auftürmte: die wunderschönen Zinnen und leuchtenden Dächer, die bunte Leuchtreklame und das Stimmengewirr von staunenden Besuchern, als wäre es ein Vergnügungspark. Er näherte sich dem Eingangstor.

Ein riesenhaftes Reptil bewachte den Eingang (offenbar holte sich die Security immer die gleichen Tiere für die Sicherheit der Städte) und blickte argwöhnisch auf ihn herab.

„Öhm, George Hampelton mein Name, Sir, yes, Sir!", sagte George in der festen Meinung, dass soldatischer Gehorsam grundsätzlich eine ehrenwerte Eigenschaft sei.

„Zwei Scheine und der Ausweis bitte", sagte der Riese monoton.

„Also, das ist so", versuchte George sich zu erklären und wurde doch jäh unterbrochen.

„Zwei Scheine und der Ausweis", murmelte der Riese nun noch einmal monoton, aber mit dem Unterschied, dass er George nun direkt in die Augen sah und sich mit üblem Atem etwas näher in Richtung seines Gesichtes bewegte.

„Bitte – eine Chance, Sir, ich habe meine Gruppe verloren, die Stadt der Arbeit ist in Rauch aufgegangen, ich muss einen Gorilla finden und ich kann das alles erklären."

Der Riese seufzte. „Ich habe es verloren, ich bin beklaut worden … ganz ehrlich: Ich kann diese Storys nicht mehr hören. Es ist langweilig. Erzähl mir lieber mal eine spannende Geschichte als immer nur dieses ständige Gejammer. Oder wenigstens etwas Ehrliches oder zumindest Verrücktes", sagte das Riesenreptil genervt.

George, erleichtert, wenigstens eine Chance bekommen zu haben, entgegnete: „Wäre eine Geschichte über einen dummen Gorilla, der sich in ein Rehlein verliebt und daher die ganze Stadt der Arbeit in Schutt und Asche legt, verrückt genug?"

„Nun ja", hüstelte das Riesenreptil, „eine seltsame, abstrakte Geschichte – warum nicht?" Und plötzlich klang es gänzlich intellektuell, als wäre dieser furchterregende Riese ein großer Literaturkritiker. Nur mit dem Unterschied, dass seine Auffassungsgabe deutlich geringer war. Es fügte hinzu: „Ich hasse LANGE Geschichten, mach sie kurz, sonst verliere ich den Überblick und wenn sie gut ist, dann erlasse ich dir den Eintrittspreis in Höhe von zwei Scheinen."

George setzte an: „Also, es war einmal ein schrecklicher Gorilla, jähzornig, gewalttätig, übel riechend und erschreckend dämlich, der sich auf seinem Weg durch den Wald vor lauter Dummheit in eine andere Tierart verliebte, die so gar nicht zu ihm passte!"

„Schneller, sonst wird es langweilig. Kürzere Sätze", forderte das Reptil.

George versuchte sich zu beeilen. „Er jagte dem Rehlein nach und bildete sich ein, es käme aus Frankreich. Er traf mich im Wald und ich versprach, ihn nach Frankreich zu bringen. Aber in Wirklichkeit wollte ich – ein kleines Eichhörnchen – diesen Riesengorilla einfach nur für dumm verkaufen! So ein Gorilla könnte mit EINEM Kampf in der Stadt der Arbeit Geld für uns beide verdienen, um uns nach England zu bringen – um MICH nach England, in meine Heimat, zu bringen. Wahrscheinlich hätte er nicht mal gemerkt, dass er nicht in Frankreich ist, da er wirklich keine Ahnung davon hatte. Er *glaubte* immer nur zu wissen, was Frankreich ist. Aber viel wichtiger: Es würde ihm sicher nicht schwerfallen, noch mehr Geld für uns aufzutreiben. Man müsste ihm nur das Richtige versprechen. Dann müsstest du nie mehr hier als Türsteher arbeiten."

Das Riesenreptil sah George träge an. „Wie war das zu Beginn? Der Affe hat sich in ein Tier verliebt? Oder war das, weil er arbeiten wollte, oder doch nur wegen Frankreich oder war das ein anderes Land? Ich finde diese Geschichte viel zu umständlich, ich hätte mir etwas Kürzeres erwartet."

George sah das Riesenreptil ungläubig an. Eigentlich war er ein außerordentlich eloquentes Eichhörnchen, aber nun fehlten ihm einfach die Worte. Ein langgezogenes „Ääähem" sollte als Antwort dienen und ihm etwas Bedenkzeit verschaffen. „Ich fasse es noch mal in einem Satz zusammen", sagte George nun mit entschlossenem Blick. „Ein dämlicher Affe hat sich in ein Rehlein verliebt und könnte dir so viel Geld einbringen, dass du nie wieder arbeiten müsstest."

„Aha!", hallte es ihm nun entgegen, aber die Antwort kam dieses Mal nicht vom Reptil.

Georges Augen weiteten sich vor Schreck und sein Kopf schimmerte hochrot durch das dichte Fell hindurch, als er sich umdrehte und direkt in die großen Augen eines neugierigen Hasen sah. Hinter ihm hatte sich die ganze Truppe samt Rico aufgebaut.

Hannes war sichtlich empört. „Ich stelle einen außerordentlichen Betrug an unserem Rudelführer und verehrten Freund und Kollegen Jean-Pierre fest." An Rico gewandt ergänzte er: „Das Eichhörnchen George wird beschuldigt, an dir Hochverrat begangen zu haben, außerdem Beleidigung und so einiges mehr!"

Das Schaf war bisher immer recht stumm geblieben, aber nun konnte es sich einen Kommentar nicht verkneifen. „Öhm, wir haben doch eigentlich gar kein Gericht oder so. Der gute Jean-Pierre wird das Eichhörnchen jetzt einfach plattmachen und wir kaufen uns was Schönes", schlug es pragmatisch vor.

Nun meldete sich auch der Bock Peter zu Wort: „Ich finde, das Hörnchen hat's verdient."

Und Rudi, der Kater, sagte nur: „Stimmt, plattmachen."

Jetzt sahen alle auf Rico – was würde er als Nächstes tun? Doch Rico wirkte dieses Mal gar nicht wütend. Eigentlich war es ja relativ einfach, ihn sauer zu machen. Aber in diesem Moment schien er nur müde und traurig.

Er sagte gar nichts. Hannes ertrug die Stille nicht, hatte aber auch ein wenig Angst vor zu viel Gewalt. „Also, wir können ja abstimmen und wir könnten zum Beispiel festlegen, dass George niemals mehr in unsere Gemeinschaft aufgenommen wird. Wir könnten uns ja auch vielleicht überlegen, dass … ähm, dass wir ihn auf irgendeine Art und Weise bestrafen, vielleicht einmal ordentlich zwicken oder –"

„Es ist gut!", unterbrach Rico ihn schließlich. Zu George meinte er nur: „Ich werde dir gar nichts tun. Wahrscheinlich hast du recht. Ich war ein dummer Gorilla, weil ich dir alles geglaubt habe. Ich weiß jetzt, wie wenig ich weiß – das habe ich gelernt! Das werde ich mir merken. Du warst kein Freund für mich, George, aber du hast mir auch die Augen geöffnet. Danke dafür. Nach Frankreich möchte ich weiterhin und wir werden nun in diese Stadt gehen, um uns unsere Träume zu erfüllen! Wir folgen jetzt unseren Wünschen, dich aber werden wir hierlassen."

Wütend brüllte George ihm entgegen: „Wie kann ein Gorilla nur so dumm sein!? Mit deiner Kampfkraft hättest du so viel Geld verdienen können – das hätte für uns alle gereicht! Aber der Kater, der Hase, das Schaf, der Bock – sie sind es dir doch gar nicht wert! Du willst anderen gar nichts geben, habe ich recht? Und jetzt traust du dich nicht mal, mich zu schlagen? Was bist du nur für ein Gorilla? Ich glaube, du bist gar kein richtiger Gorilla! Du bist eine Ente im Gorillakostüm. Haha!" Er lachte über seinen eigenen Witz. „Ich glaube es einfach nicht", fuhr er fort, denn er konnte es einfach nicht lassen, mit dem Feuer zu spielen. „Das Einzige, was Gorillas gut können, nämlich kämpfen, kannst du nicht! Das heißt, du kannst gar nichts!"

Aber Rico blieb dieses Mal ruhig. Er war gefasst und unbeirrbar. Er ging mit den anderen zum Einlass, bezahlte und verschwand mit seinen Freunden in der Stadt des Geldes.

Zurückgeblieben war nur George. Seine Chance, nach Hause zu kommen, hatte er verspielt. Er weinte. Zwar war er immerhin mit dem Leben davongekommen, aber seine Zukunft sah düster aus. Ein Gorilla, der einem kleinen Eichhörnchen nichts zuleide tat, obwohl es ihn auf das Übelste getäuscht hatte. Das war eine sehr ungewöhnliche Geschichte. Doch es sollte noch viel ungewöhnlicher werden und George sollte niemals verstehen, warum Rico sich so verhalten hatte. Und Frankreich, ja, Frankreich würde ihm ewig verborgen bleiben, genauso wie seine alte Heimat.

Die Stadt des Geldes

Die Stadt des Geldes war ein Fest für die Augen. Ein Feuerwerk für das Gehirn – die Vielzahl der Attraktionen war kaum zu verarbeiten. Überall blinkte etwas. Die Gehwege waren mit Porzellanfliesen ausgelegt, jede anders gestaltet als die nächste – manche schrill und bunt, andere monochrom, um im bunten Flickenteppich aufzufallen.

Man sagte, jede einzelne Fliese sei von einem anderen Maler gestaltet worden – kostenfrei. Nur in der Hoffnung, Aufmerksamkeit zu erlangen. Vielleicht bestand ja die Möglichkeit, einen begehrten Auftrag für eines der noblen Wohnhäuser zu ergattern. Es musste eine riesige Fliesenfabrik in der Stadt der Arbeit geben, dachte sich Rico, denn die Gehwege waren breit und lang und zogen sich durch die gesamte Stadt.

„Das sieht aus wie ein Vergnügungspark", sagte Hannes mit großen Augen.

Harald, das Schaf, fragte vorsichtig: „Wie viel kostet hier eine Wiese mit frischem Gras?"

„Öhm", sagte Hannes, „ich bin mir nicht sicher, ob du so etwas hier findest."

So trieb die ungleiche Gruppe mit ihren ungleichen Wünschen und Bedürfnissen durch diesen riesigen Vergnügungspark und versuchte sich zu orientieren. Sie kamen an einem Zelt vorbei, das mit einer besonderen Attraktion warb. In großen leuchtenden Buchstaben stand darüber „Kampf – Kampf auf Leben und Tod". Ein wild gestikulierendes Känguru stand am Eingang und machte fleißig Werbung. „Das hier ist nicht nur ein Kaaaaaampf", versprach es vollmundig. „Das hier ist eine Reise in Ihr Selbst. Sie werden erfahren, was Sie wirklich wollen. Wer Sie sind. Es wird Ihnen zentrale Fragen Ihres Lebens beantworten und Sie werden verstehen, wohin Sie Ihr Weg führen muss."

Der Kater Rudi blieb stehen. „Ich würde das gerne sehen."

Rico grummelte: „Wie sich irgendwelche Tiere den Schädel einschlagen? Nein, danke. Ich habe genug davon."

„Entschuldigen Sie, werter Herr. Sie haben das missverstanden", mischte sich das Känguru ein. Rico hatte gar nicht mitbekommen, dass es ihm zugehört hatte. „Der Kampf auf Leben und Tod ist nur symbolisch gemeint. Niemand wird sterben. Es geht eher um den Kampf von Ideologien, von Lebenseinstellungen – dargestellt in einer praktischen Form. Das Wort *idéologie* kommt aus dem Französischen, wenngleich es seinen absoluten Ursprung im Griechischen hat. Wie dem auch sei, es wurde in seiner heutigen Bedeutung vor allem vom französischen Philosophen Antoine Louis Claude Destutt de Tracy geprägt als Bezeichnung für das Projekt einer einheitlichen Wissenschaft der Vorstellungen und Wahrnehmungen. Er berief sich wiederum auf die Erkenntnistheorie von Condillac. Wussten Sie das nicht?"

Rico hatte noch nie einen längeren französischen Namen gehört. Dagegen kam ihm sogar sein fiktiver „Jean-Pierre Gargouille" vergleichsweise einfach vor. Er stotterte: „Ich, also … das ist … natürlich, ich meine, davon hat man gehört, denke ich … also zumindest mal von irgendwoher, also, ich muss sagen, das klingt schon interessant."

„Treten Sie ein, mein Herr, wenn Sie wissen wollen, was Antoine Louis Claude Destutt de Tracy Ihnen zu sagen hat", entgegnete das Känguru, nun wieder so laut, dass wirklich alle es hören konnten.

„Wir wissen doch alle nicht genau, was wir kaufen oder machen sollen – lasst uns hier reingehen, ich bezahle für euch", sagte Rico nun prompt.

Das Schaf protestierte zwar: „Doch, ich will leckeres, frisches Gras", aber es wurde irgendwie überhört. Prinzipiell hatte es ja auch nichts gegen eine Show einzuwenden, wenn es eventuell im Anschluss frisches Gras geben sollte.

Der Kater war sowieso neugierig, für Hannes klang die ganze Erklärung des Kängurus wie eine künstlerische Offenbarung und der Bock hatte eh auf gar nichts Bock außer auf Meckern, daher nahm ihn keiner ernst und er schloss sich am Ende dann doch der Gruppe an.

Nachdem sie einen überraschend geringen Eintrittspreis gezahlt hatten, traten sie durch eine enge Tür in ein altes Zirkuszelt. Es gab nicht viele Zuschauer, ein paar Schweine auf der einen Seite, ein paar Paviane mit weißen Rauschebärten am anderen Ende. Man sah dem Zelt an, dass seine besten Zeiten längst vorüber waren.

Eine Glocke läutete laut, eine Tür öffnete sich und zwei Schimpansen betraten die Manege. Einer von beiden war gekleidet wie ein Cowboy, ein verwegener Haudegen mit stechenden Augen, starken Händen, einer Perücke mit etwas längeren Haaren und einem sehr selbstbewussten, aufrechten Gang. Der andere war etwa genauso groß, trug eine Brille und stand nur wartend neben seinem Kontrahenten. Er bewegte sich kaum und blickte starr auf den Boden vor sich. Er wirkte wie ein klassischer Nerd.

Der Cowboy lief im Kreis und versuchte, die kleine Zuschauergruppe in Stimmung zu bringen. „Seid ihr bereit für den Kampf eures Lebens?!"

Hannes klatschte begeistert. Als Einziger.

Der Cowboy fuhr fort: „Macht euch auf was gefasst!" Nach einer dramatischen Pause stellte er sich vor. „Mein Name ist Jean-Pierre!"

Der Cowboy

Weit ausgebreitet waren die Arme des Cowboys, als er im Kreis herumging und gefühlt jedem Zuschauer entschlossen in die Augen sah. Die Schweine waren begeistert. Hannes griff aufgeregt in eine der Popcorntüten, die sie am Eingang allesamt erhalten hatten – im Preis inbegriffen. Darüber freute sich Rico besonders!

„Ich bin Jean-Pierre – der große Held der Stadt des Geldes", tönte er selbstbewusst. „Wollt ihr Blut sehen?"

Dieses Mal klatschte Hannes nicht und er kaute das Popcorn etwas langsamer, als wäre ihm der Appetit vergangen.

Rico rutschte etwas nervös auf seinem Stuhl hin und her. Wieso um alles in der Welt hieß dieser Cowboy ebenfalls Jean-Pierre? Was sollte das alles? Wieso hatte er sich überhaupt zu dieser Show überreden lassen? Es ging ja wieder nur um Schläge und Gewalt.

Niemand wusste so recht, was sie mit dem lautstarken Cowboy anfangen sollten.

Da ergriff der Kontrahent etwas unsicher das Wort. „Ähm, hallo? Ich bin … also, ich bin Rico. Ich bin noch nicht so lange im Geschäft und daher tut es mir leid, wenn ich nicht so recht weiß, was ich sagen soll."

„Halt einfach die Klappe", entgegnete der Cowboy mit hämischem Grinsen. „Wie wäre es, wenn du dem verehrten Publikum einfach zeigst, wie man kämpft?", schrie er dann deutlich lauter durch das gesamte Zelt. Dann breitete er die Arme wieder aus, voller Selbstbewusstsein, und schritt deutlich auf Rico – also den etwas unsicheren Rico, der gegen ihn kämpfen sollte – zu. Dieser wich instinktiv nervös zurück, auch wenn der Cowboy Jean-Pierre noch ein ganzes Stück von ihm entfernt war.

„Mach ihn platt!", schrie ein Schwein aus der Entfernung und Rico kamen Erinnerungen an seinen Kampf wieder hoch und wie schrecklich das für ihn gewesen war. Diese Ungerechtigkeit hautnah mitzuerleben! Fast hätte er damals eine arme Ente getötet, die eigentlich nur ihre Familie retten wollte. Dann hatte er den Moderator verprügelt und die Schweine hatten applaudiert … ach, wie hatte er sich nur dafür geschämt. Wieso fühlte er sich eigentlich immer so schlecht nach einem Kampf? Hatte George etwa doch recht und er war einfach kein richtiger Gorilla? Vielleicht war er tatsächlich zu feige zum Kämpfen?

Nein, eigentlich nicht, dachte sich Rico, denn er wurde doch sogar viel zu schnell wütend und musste sich eher zurückhalten, *nicht* zu kämpfen. Trotzdem fühlte er sich nach einem Kampf immer wie ein Versager. Er tat Dinge, die er später bereute, weil er in Wirklichkeit keinen Sinn darin sah. Er hatte sich und seine Gefühle einfach nicht immer unter Kontrolle.

Der Cowboy hingegen wusste genau, was er tat. Er ließ sich von der Menge feiern, er klatschte lässig in die Hände, um den Zuschauern zu signalisieren, dass allein seine Anwesenheit einen Applaus wert war. Sein Gegenüber stand dagegen nur schüchtern in einer Ecke und hatte seine Hände mühsam in seine zu kleinen Hosentaschen gezwängt. Das ergab ein eher jämmerliches Bild.

Nun fing der Cowboy Jean-Pierre an, die Richtung vorzugeben. Er hatte sich selbst genug gefeiert und ging entschlossen auf sein Opfer zu. Wieder streckte er die Hände aus, in voller Gewissheit, haushoch überlegen zu sein. Als er direkt vor dem armen Kämpfer-Rico stand, zappelte dieser nervös. Er ballte seine Fäuste und hüpfte ungelenk vor ihm herum, um nicht getroffen zu werden.

Schließlich krachte die Rechte des Cowboys in den Bauch seines armen Opfers, das sofort stöhnend in die Knie ging. Ein einzelnes kleines Schwein klatschte lauten Applaus. Der Cowboy wartete ab, bis sein Opfer sich erholt hatte, und ging nun erneut auf ihn zu. Dieses Mal wieder mit ausgebreiteten Armen, um seine Überlegenheit zu demonstrieren.

Als er sich genähert hatte, fing sein unterlegener Gegner an herumzuzappeln, um nicht getroffen zu werden. Doch als der Cowboy mit offenen Armen vor ihm stand, zuckte überraschend der Arm des vermeintlichen Opfers nach vorne und traf den selbstbewussten Helden am Kinn.

Der Getroffene stand noch kurz wie elektrisiert am selben Fleck und ging dann plötzlich bewusstlos zu Boden.

Keiner klatschte. Stille. Alle waren überrascht über diesen Ausgang. Das Känguru kam zurück in die Halle und verkündete mit lauter Stimme: „Aufwachen, meine Freunde!"

Magic was?

Magic Popcorn?", fragte Hannes. Rico trottete missmutig neben ihm her. „Das war völliger Wahnsinn!", schimpfte er. „Was sollte dieser Cowboy und dann hieß der auch noch so wie ich und dann war da noch der andere Typ, dieser ..." Er wollte den Namen Rico nicht erwähnen, denn irgendwie war ihm sein Magic-Popcorn-Traum nicht ganz geheuer.

Auch der Kater wunderte sich. „Da war dieser Hund, ich konnte ihn nicht leiden und –"

„Wir haben also alle unterschiedliche Dinge gesehen", unterbrach Hannes ihn und man konnte aus seinen Augen ablesen, dass er schon wieder alles begeistert als Kunst wahrnahm. Zweifelsohne war dieses Magic Popcorn absolut Hannes' Ding und auf seinem Gesicht zeichnete sich ein Ausdruck von ungläubigem Staunen ab. Seinen Traum teilte er aber nicht. Es fragte ihn ja auch keiner danach. Er sollte für eine ganze Weile sein Geheimnis bleiben.

Peter, der Bock, schimpfte nur: „Ich war auf dieser Wiese und es war total langweilig. Ich habe überhaupt nichts Besonderes empfunden. Es war alles nur nervig! Aber dann sah ich dieses –"

Das Schaf unterbrach, ohne wirklich die Worte des Bockes zu kommentieren: „Also ich war auch auf einer Wiese und da war alles voller Gras und ... Mann! Ich habe mir gedacht, DAS ist genau das, was ich will!"

Niemand hörte so wirklich dem anderen zu, obwohl das womöglich geholfen hätte, wenigstens ein wenig aus dem Magic-Popcorn-Traum zu lernen.

„Wo ist dieser Scharlatan? Er soll mir wenigstens sagen, wo ich endlich einen Flug nach Frankreich bekomme", grummelte Rico, denn das redselige Känguru war wie vom Erdboden verschluckt.

„Wo laufen wir denn jetzt eigentlich hin? Ich habe keine Lust mehr, mich hier im Kreis zu drehen!", sagte der Bock.

„Wir gehen jetzt zum Flughafen, ganz einfach. Wir müssen alle nach Frankreich – an einen besseren Ort, an dem wir uns nicht nur selbst finden, sondern endlich auch ein wahres Zuhause!", sagte Rico entschlossen, denn er fühlte sich weder im Wald noch in der Stadt der Arbeit noch in der Stadt des Geldes zu Hause. Er wollte sein Rehlein wiedersehen. Es hatte damals gesagt, dass es nach Hause wolle, also musste es auch irgendwo hier sein. Der Flughafen war schließlich der einzige Weg dorthin.

Das Schaf erkundigte sich beiläufig: „Also, ja, Frankreich – warum nicht? Gibt es dort leckeres Gras?", aber wieder antwortete keiner so wirklich mit Worten. Außer einem Nicken Ricos gab es keine Bestätigung oder Zustimmung der anderen. Allgemein schätzte man zwar einander, aber man verstand sich nicht wirklich. Das musste sich unbedingt ändern, sollte Rico jemals sein Rehlein finden wollen, das Schaf frisches Gras und Hannes eine künstlerische Offenbarung.

Schließlich gelangten sie an eine Kreuzung, an der ein goldener Pfeil tatsächlich einen Hinweis auf eine Reisemöglichkeit gab: „Straße des Reisens" stand darauf geschrieben. Das Schild war übersät mit kleinen Lampen, die mit wildem Blinken auf sich aufmerksam machten – die besten Jahre schien es aber bereits hinter sich zu haben, denn es wirkte trotz penetranter Beleuchtung ein wenig vergilbt.

„Hier geht's lang!", beschloss Rico und keiner wagte, ihm zu widersprechen, auch in der Hoffnung, dass ein großer Hüne mit entschlossener Stimme ja schon irgendwie recht haben müsste und es nicht unbedingt verkehrt wäre, ihm zu folgen.

In diesem Moment verspürte Rico zum ersten Mal wieder so etwas wie Hoffnung und Zuversicht in diesem so aussichtslos wirkenden Unterfangen. Ein kleines buntes Haus erregte seine Aufmerksamkeit. Es war nur ein Flachbau, flankiert von deutlich höheren und deutlich geschmackvolleren Häusern mit reichen Verzierungen. Als würde das Haus die eigene Gedrungenheit kompensieren wollen, stach es in bunten Farben hervor, die nicht

wirklich zusammenpassten, aber – unterstützt von wild blinkenden Lampen – definitiv unübersehbar waren.

Ein riesiges Schild in grellen Farben auf dem Flachdach des
Hauses schrie es förmlich heraus, in großen bunten Lettern: „Reisebüro – Ihr Wunschflug raus aus der Stadt des Geldes".

Die Straße des Reisens

Riiiiiing", schrillte die Klingel, als Rico den kleinen goldenen Knopf drückte. „Riiiiiiiiing", tönte es wieder und die
ungleichen Freunde sahen sich gegenseitig fragend an.
Doch es dauerte gar nicht lange, bis sich jemand mit schlurfenden
Schritten näherte.

Überraschenderweise baute sich vor ihnen ein alter Gorilla auf
und sah sie aus müden Augen an, als wäre er überrascht, überhaupt Kunden zu bekommen. Er trug eine dicke Goldkette und
eine ziemlich große schwarze Sonnenbrille. Das Alter hatte ihn etwas schrumpfen lassen, sodass er zwar über den Tresen sehen
konnte, aber daneben eher klein wirkte.

„Krass, ey, Alter, ey, was geht, was brauchst du", sagte er monoton.

Rico verdrehte instinktiv die Augen und machte erst mal eine
Pause.

Solche Pausen – vor allem, wenn jemand eine Antwort erwartete – waren für Hannes immer eine Qual, daher übernahm er.
„Also, die Straße des Reisens hat wohl ihre besten Zeiten hinter
sich. Sind Sie der letzte Ticketverkaufsstand für Auslandsrei-
sen?", fragte er forsch.

Der alte Gorilla antwortete mit einer langen Pause und absolu-
tem Schweigen.

Hannes, sichtlich nervös, beschloss daher, lieber schnell fortzufahren, ehe einer von diesen beiden Gorillas noch wütend werden würde. Rico stand nur etwas abseits und guckte beleidigt.
Hannes ergänzte also: „Wir suchen einen Flug nach Frankreich,
möglichst bald, für insgesamt fünf Erwachsene – wie viel würde
das kosten, lieber Herr, äh, Reiseticketverkäufer?" Man merkte,
dass Hannes Angst vor der eigenen Courage bekommen hatte
und seine forsche Frage etwas abmildern wollte. Denn wenn es
nur einen verärgerten Ticketverkäufer an der Straße des Reisens
gäbe und dieser sich weigerte, ihnen zu helfen, dann wäre wohl

die Chance, Rico jemals nach Frankreich zu bringen, auf absehbare Zeit vertan.

„Frankreich, Alter?", entgegnete der Gorilla-Opa. „Puh, wie sieht das aus, lass mich mal nachsehen, Mann." Er kramte in einem Papierstapel und zog ein paar vergilbte Postkarten hervor. Er deutete mit seinen Fingern auf eine Art indischen Tempel. „Das sieht doch krass nach Frankreich aus, Alter, da hab' ich einen fett-krassen Flug für euch für nur –"

„Neeeeeein", unterbrach ihn Rico genervt aus dem Hintergrund. Das war sicher nicht Frankreich! Gleichzeitig wurde er aber etwas unsicher, denn er wusste ja selbst nicht genau, wie dieses Land aussah. Er gab Hannes mit einer Handbewegung zu verstehen, dass er sich in Ruhe und ohne sich eine Blöße zu geben, beraten wollte.

„Wie sieht Frankreich aus?", flüsterte er Hannes beschwörend zu. „Ich weiß nur, dass es sicher nicht so aussieht wie auf diesem Bild, das er uns gezeigt hat, denn ich hatte mal sehr würziges Essen in einem Restaurant und der Elefant, der es gekocht hat, hatte dort immer diese Bilder mit genau diesem goldenen Tempel. Und dieser Typ war DEFINITIV nicht aus Frankreich!"

„Puh", erwiderte Hannes, „ja, also, ich gebe dir recht, das ist nicht Frankreich, was uns der gute Verkäufer hier auf seiner Karte andrehen wollte. Frankreich ist ein sehr grünes und fruchtbares Land, aber es hat auch kalte Winter."

„Weißt du nicht mehr, ist das alles? Es gibt dort doch sicher auch so etwas wie die Städte des Geldes oder der Arbeit, wo sich alle Tiere treffen, oder etwa nicht? Sollten wir nicht dort anfangen zu suchen?", schlug Rico vor.

„Ja, doch, doch", sagte Hannes, „jetzt, wo du es sagst! In Frankreich gibt es definitiv eine große Stadt, ich habe das mal irgendwoher gehört. Und da gibt es viele verschiedene Häuser, große und kleine, aber es gibt auch einen besonderen Turm mit so einer Art Aussichtsplattform. Der sieht aus wie ein Geländer und spitzt sich nach oben hin zu. Eine Art Stahlturm aus Drähten – ganz oben ist eine Kapsel, dort kann man mit einem Aufzug hochfahren, um dann runterzusehen."

„Wieso klettert man nicht einfach hoch?", wunderte sich Rico laut, aber eigentlich wollte er gar nicht auf eine Antwort warten. Aufgeregt wandte er sich wieder an den alten Gorilla. „Wir wollen in eine Stadt in Frankreich, und zwar in eine Stadt, die einen Turm hat. So eine Art Geländer aus Stahl und oben ist eine Kapsel, ein Raum, von dem man nach unten sehen kann. Man kann mit einem Aufzug in diesen Raum fahren."

„Öhm", sagte der Gorilla, „krass, Alter, ey. Wieso klettert man nicht einfach hoch? Egal, ich schau' mal." Wieder kramte er in seinem Kartenstapel herum und zog einige hervor. Eine nach der anderen zeigte er Hannes und Rico (die anderen interessierten sich kaum dafür, der Bock am wenigsten), aber immer waren irgendwelche Türme mit Fenstern darauf zu sehen. Das war eindeutig weder Frankreich noch der besagte Turm! Schließlich zog er eine besonders vergilbte Ansichtskarte aus seinem Stapel. „West-Berlin" stand darauf. Und da war er! Ein Turm aus Stahl, der sich nach oben hin verjüngte und wie ein Geländer aussah – mit einer Plattform am oberen Ende. Die Stadt, in der er stand, wirkte groß und lag im Herzen Europas, wie es auf der Karte zu lesen war.

„Das ist es, das ist es!", jubelte Hannes. „Das ist der Turm, der sieht genauso aus! Das muss Frankreich sein."

„Fünf Flüge in diese Stadt", sagte Rico entschlossen.

Hier eine Abbildung der originalen Postkarte, die Rico im Reisebüro fand.

Fünf Helden

Da liefen sie – wie fünf Helden: vorneweg Hannes, stolz mit den fünf Flugtickets in der Hand. Gleich dahinter Rico und dann Harald, treu hinterher trottend, Rudi, leichtfüßig und immer mit etwas Abstand, und zuletzt, leicht trotzig, Peter.

Rico konnte es kaum glauben: Morgen um die gleiche Zeit würde er schon in Frankreich sein – endlich zu Hause! Gebildete Rehlein und vornehme Affen um ihn herum. Zurückhaltende Gorillas mit Format. Exotisches Essen. Kultur.

„Gras", sagte Harald, „du sagtest, in Frankreich gäbe es gutes, frisches Gras, richtig? Ich wollte nur noch mal sichergehen." Rico unterbrach ihn mit einer Handbewegung.

Da drang plötzlich ein ungewöhnlicher Geruch an seine Nase. Es stank regelrecht. „Ist das Feuer?", fragte Hannes vorsichtig. Und was klang da so schräg? Waren das Stimmen, die näher kamen?

Ein aufgebrachtes Känguru hoppelte ihnen entgegen und schrie: „Die Katastrophe! Jetzt hat sie auch die Stadt des Geldes erreicht!"

„Welche Katastrophe?", flüsterte Rico Hannes zu. Doch irgendwie witterte er schon, welche Katastrophe gemeint war. George hatte ihm einmal davon erzählt, dass die Stadt des Geldes in Wirklichkeit untrennbar mit der Stadt der Arbeit verbunden war. Sie waren wie zwei Teile eines Körpers, der sterben würde, wenn eines verloren ginge. Die Stadt des Geldes war von der Stadt der Arbeit abhängig – wenn die Tiere den Glauben an die vielen Scheine verlören, dann könnte man auch in der Stadt des Geldes nichts mehr kaufen.

„Ausverkauf", schrie ein Hahn prompt aus seiner Verkaufsbude, passend zu Ricos Gedanken. „Ausverkauf! Tausche nur noch gegen andere Waren – Scheine werden nicht mehr angenommen!"

„Fürchtest du, was ich fürchte?", fragte Hannes Rico.

„Ich glaube, ja. Nur – was tun?"

„Schnell zum Abflugsteig! Es gibt nur einen und der sollte geradeaus liegen, hat uns der Verkäufer gesagt."

Nun gingen unsere fünf Helden nicht mehr leichtfüßig. Sie rannten. Rico lief so schnell er konnte, Hannes saß auf seinem Rücken. Das Schaf, der Bock und der Kater folgten mit etwas Abstand. Aber Rico sah sich immer wieder um, denn seine innere Stimme sagte ihm, dass er seine Freunde nicht einfach so abhängen sollte. In seinem Herzen war er außerdem fest davon überzeugt, dass Frankreich nicht nur ein besserer Ort für ihn, sondern für alle hier sein würde.

Am Flugfeld angekommen, sah alles etwas kleiner aus, als man es sich vorgestellt hätte. Oder vielleicht sogar kleiner, als es sein sollte. Ein Schimpanse saß mit einer Fliegermütze auf einer Bank vor einem etwas in die Jahre gekommenen Flugzeug aus Holz und stritt sich mit seiner Freundin.

„Wie, was, ich bin dumm?! Wieso musst du immer gleich so beleidigend sein?"

„Weil es so IST!", schrie ihm die Schimpansin entgegen.

„Ich bin immerhin deutlich weniger dumm als du, das war SO PEINLICH gestern!"

„Was? Ich bin peinlich?!" Seine Freundin machte ein ungläubiges Gesicht. „Es gibt wohl niemanden, der peinlicher ist als du, MANN!"

Rico räusperte sich respektvoll. Dieses Mal wollte er sich in Würde ausdrücken. Alles besser machen. Er war jetzt schließlich ernsthaft auf dem Weg nach Frankreich. Und dort würde er sicher bald auf sein Rehlein treffen. Seine Manieren und nicht seine Muskeln sollten daher bestaunt werden.

Die beiden Schimpansen blickten etwas überrascht zu ihm auf, denn Gorillas gab es in der Stadt des Geldes nicht sehr viele.

„Entschuldigen Sie bitte, meine Freunde und ich haben einen Flug nach Frankreich gebucht."

„Wo liegt das denn, Alter?", entgegnete der Schimpanse genervt.

Rico versuchte, freundlich zu bleiben. „Hier, unsere Tickets und eine Postkarte der Stadt in Frankreich, die wir besuchen möchten. Man sollte sie gut an diesem Turm erkennen." Er deutete auf den Funkturm Berlins.

„Also, um ehrlich zu sein … wir haben gehört, Arbeiten lohnt sich nicht mehr. Das ganze Geld in der Stadt des Geldes ist nichts mehr wert. Wir machen nur noch Tauschhandel."

Eine kleine Ader an Ricos Schläfe pochte nun ganz gewaltig, aber er wollte dieses Mal gelassen bleiben. Ein echter Franzose würde sich wie ein Gentleman benehmen, seine Lage erklären und für Verständnis werben.

„Das verstehe ich", entgegnete er ruhig. „In der Stadt des Geldes gab es offensichtlich nie besonders viel zu holen. Aber dort, wo wir gemeinsam hinfliegen würden, das ist eine andere Welt. Eine gänzlich bessere! Dort leben Franzosen. Das sind Affen mit Verstand und sie leben dort friedlich miteinander. Sie essen gut, sie verprügeln sich nicht gegenseitig. Sie haben sowohl Anstand als auch Bildung. Kein ‚Alter, ey', sondern Literatur. Ja, sie lesen gerne und viel, sie haben Kultur und sie hören nie auf, zu lernen und sich zu entwickeln. Klingt das nicht nach einer großartigen Möglichkeit, zu neuen Horizonten aufzubrechen? Darf ich mich mit Namen vorstellen? Ich heiße Jean-Pierre Gargouille und ich möchte mit Ihnen zurück in meine Heimat fliegen!"

Hannes war so begeistert, dass er in die Hände klatschte, denn so hatte er Rico noch nie reden hören. Offenbar hatte er einen guten Einfluss auf seinen zornigen Freund, denn das war sicher einzigartig, dass ein Gorilla sich so viel Mühe gab, ein paar Schimpansen zu überzeugen.

Die Gegenseite war weniger beeindruckt.

„Alter, ey, ich habe keine Ahnung, was du da erzählst, aber a) du bist hässlich, b) du bist mir schwer egal, c) ich habe gerade

Stress mit meiner Freundin, falls du das noch nicht mitbekommen hast, und d) entweder du hast etwas zum Tauschen oder du verziehst dich wieder."

Hannes machte schnell ein paar Schritte zurück, denn Ricos Explosion war nicht mehr zu bremsen. Er brüllte so laut, dass sich den beiden Schimpansen die Haare aufstellten: „ICH VER-ZIEHE MICH NICHT UND IHR FLIEGT UNS JETZT NACH FRANKREICH MIT UNSEREN FÜNF TICKETS, SONST KNALLT'S!"

Überflug

Die Maschine knatterte, ratterte und flatterte mehr, als dass sie flog. Justin und Jacqueline – so hießen die beiden Schimpansenpiloten – hatten irgendwelche Zettel in der Hand, drehten diese in alle Richtungen und hielten sie prüfend in die Höhe, als wäre eine Geheimbotschaft darauf versteckt.

„Hier!", rief Justin seinen fünf Gästen zu und warf eine kleine Broschüre nach hinten. „Das ist zwar nicht die Route nach Berlin, aber so eine Art Touristenratgeber oder so. Kann ich nicht brauchen, ihr aber vielleicht."

Insgeheim war er immer noch ziemlich genervt, da er praktisch unter Androhung von Gewalt, unterstützt von seiner eigenen Feigheit, zum Fliegen gezwungen worden war. Dann wandte er sich wieder nach vorne und diskutierte mit Jacqueline, in welche Richtung nun weitergeflogen werden sollte.

„Das ist seeeehr interessant." Hannes las in dem etwas mitgenommenen Touristenratgeber. „Berlin gilt als sehr cool, es heißt, dort leben sehr viele ‚hippe' Leute."

„Hippe Leute?", knurrte Rico. „Was soll das heißen?"

„Jean-Pierre! Hier! Da steht, in Berlin gibt es viel Graffiti und die Leute gehen unglaublich gerne demonstrieren! Das muss typisch für Frankreich sein. Ich habe mal gelesen, die Franzosen lieben Aufstände jeglicher Art. Sie lieben die Revolution und Anarchoaie."

„Anarcho-was?", fragte Rico.

„Anarchohaa…" Der Hase verstummte. „Also, ich weiß nicht mehr genau, wie man das ausspricht." Hannes machte eine lange Pause.

Im Hintergrund schienen Justin und Jacqueline endlich die richtige Karte gefunden zu haben und drehten das Flugzeug nun doch wieder in die entgegengesetzte Richtung. Endlich auf dem vermeintlich richtigen Weg, wurde der Flug nun etwas ruhiger und einige Zeit ging es geradewegs in Richtung Ziel.

Aber nicht genug Zeit, um das Rätsel zu lösen.

„Anarchalgie?", murmelte Hannes vor sich hin. Schließlich richtete er sich auf und versuchte, sein folgendes Geständnis mit Würde zu formulieren. „Ich gebe es zu, Rico."

„Was denn? Was willst du zugeben?", entgegnete Rico und man merkte ihm schon wieder seine Ungeduld an, denn lange um den heißen Brei herumzureden, war nicht sein Ding. Und stundenlang nach dem richtigen Wort für echte Revolutionisten zu suchen, ging auch an seine Substanz.

„Ich bin einfach nicht besonders clever, Jean-Pierre", schluchzte Hannes. „Ich weiß nicht mal mehr, wie man das mit dieser Anarcharie oder Phobie oder wie auch immer ausspricht, und ich habe noch nicht mal einen Schulabschluss, geschweige denn höhere Bildung. Genau genommen war ich gar nicht in irgendeiner Schule. Ich bin einfach nur ein dummer Angsthase, der daran glaubt, dass das Leben mehr ist als nur immer Karotten essen und durch die Gegend hoppeln und … und … und …" Die Tränen kullerten Hannes über die Wangen und Rico war erst mal völlig perplex.

Ohne wirklich zu wissen, was er da tat, nahm er Hannes vorsichtig in den Arm und tätschelte ihm mit einer seiner Pranken den Rücken. Das war ein sehr seltsames Gefühl für Rico.

„Weißt du, Hannes", sagte er, „manchmal habe ich das Gefühl, keine Chance zu haben, alles zu verstehen. Es gibt Leute, zu denen ich aufsehe, aber sie sehen nur auf mich herab. Und dann gibt es wieder Leute, die zu mir aufsehen könnten, aber die wollen es überhaupt nicht und lachen nur über mich."

„Das ist unglaublich poetisch", schluchzte Hannes lauthals. „Kannst du das bitte wiederholen? Du hast keine Chance, denn die, die zu dir aufsehen, schauen auf dich herab und die, die aufsehen, sehen dich nicht?" Er schniefte und fügte hinzu: „Ich kriege ja nicht mal das wieder zusammen", um dann wieder äußerst theatralisch in Tränen auszubrechen, sodass sogar der Bock anfing, in einer Ecke des Fliegers nach alten Karotten zu suchen, um Hannes eventuell etwas Linderung zu verschaffen.

„Also", sagte Rico, „ich meinte: Die, zu denen ich aufsehe, sehen auf mich herab, die anderen aber wiederum nicht zu mir hinauf. Also die, auf die ich herabsehe. Öhm. Nein, so meine ich das nicht, also –"

„O Mann", unterbrach der Bock von hinten.

Das Schaf versuchte sich ebenfalls an einer Interpretation. „Was er meint, ist, dass die, die ihm überlegen sind, ihn arrogant behandeln. Und die, die etwas von ihm lernen könnten, die sind genauso arrogant!"

Hannes blickte ins Leere.

Rico versuchte, ihn aufzumuntern. „Ich gebe es auch zu, Hannes. Ich bin ... ich bin auch nicht der hellste Stern am Himmel."

Hannes blickte immer noch fragend und melancholisch ins Nichts.

„Der Gorilla meint, er ist auch nicht die hellste Kerze auf der Torte. Und damit will er wahrscheinlich sagen, dass du dir deswegen keine Gedanken machen solltest", fügte der Bock erklärend und in leicht genervtem Tonfall aus dem Hintergrund hinzu, doch Hannes' Blick hatte sich längst wieder geschärft. „Da ist, da ist, da ist, da ist, da ist – das ist: Das ist doch ein Turm, der da aus den Wolken herausragt!" Seine Stimme überschlug sich vor Begeisterung.

Und tatsächlich. Da ragte ein stolzer Turm aus dem Wolkenhimmel und eine glitzernde Stadt lag fast genau unter ihnen, während ihr klappriges, aber treues Gefährt sich in den Landeanflug begab.

Angekommen?

Langsam bewegte sich das Flugzeug abwärts, die Räder fuhren mit einem lauten Surren aus. Rico konnte schon vereinzelt Autos wahrnehmen, die wie Spielzeuge langsam durch die Straßen rollten. Von hier oben sah alles so wunderschön aus – schöner, als er es sich jemals vorgestellt hatte.

Das Flugzeug knatterte sanft und es klang wie Musik in seinen Ohren, so gut gelaunt war er. Dann plötzlich: kein Knattern. Kein Rattern. Nur noch das Rauschen des Windes und Justin und Jacqueline, die miteinander stritten.

„Ich hab' es dir doch gleich gesagt, dass der Sprit nicht reicht, vor allem, weil dieser dicke Gorilla an Bord uns alleine schon nach unten drückt. Es ist IMMER das gleiche mit dir, weil du mir nie zuhörst!", meckerte Jacqueline.

„Na, klar hast du es ‚gleich' gesagt – aber erst vor fünf Minuten, du Klugscheißerin", antwortete der andere Schimpanse und sie fingen an, sich aufs Heftigste zu beleidigen und Vorwürfe aus vergangenen Jahren wieder hervorzuholen.

Rico wurde schlecht. Hannes hatte Panik. Der Kater aber balancierte auf einem der Flügel und sein Schwanz zuckte aufgeregt von links nach rechts – wahrscheinlich das einzige Tier an Bord, das so viel Action genoss.

Der Bock hatte sich ganz nach hinten in ein Eck verkrochen. Das Schaf hatte die Augen geschlossen und murmelte nur vor sich hin: „Eines Tages werde ich ein wunderschönes Stück Gras entdecken, ich werde essen und glücklich sein und bald wird es so weit sein. Nur noch Wiese, grünes, saftiges Gras …", und das Gemurmel ging immer so weiter.

Rico hatte definitiv Mitleid, denn als Gorilla stieg ihm immer erst das Adrenalin in die Adern, bevor ihn die Angst ergriff. Außerdem war er nicht so weit gekommen, um hier auf den letzten paar Metern nun alles zu verlieren. „Justin und Jacqueline, hört auf zu streiten! Wir müssen das Teil irgendwie in den Wind drehen und in einem Waldstück landen, sonst gehen wir alle drauf", schrie er durch den Wind – er machte eine Pause und fügte hinzu: „Alter, ey, wir brauchen euch!", denn irgendwie hatte er das Gefühl, sich auch ein bisschen Verständnis erwerben zu müssen. Schließlich hatten Justin und Jacqueline sie doch sehr weit gebracht – viel weiter, als er dieser Klapperkiste jemals zugetraut hatte.

Hannes war allerdings keine große Hilfe. Er hatte in das Blech der Flugzeugwand gebissen und es sah so aus, als hielte er sich mit seinem Kiefer daran fest, während er zitternd die Augen zusammenkniff und versuchte, sich davon abzulenken, dass sie womöglich gerade mit einem Flugzeug über Frankreich abstürzten.

„Justin! Jacqueline!", rief Rico noch einmal lautstark. „Nicht aufgeben!" Die Schimpansen waren ein wenig überrascht, dass der dicke Gorilla so freundlich zu ihnen war. Doch Rico konnte das noch besser. „Ihr wart absolute Klasse bis hierher. Niemals hätte ich gedacht, dass ihr diese Stadt wirklich findet. Es tut mir leid, dass ich etwas sauer war zu Beginn – ich schwöre, ich bin euch etwas schuldig, wenn wir hier heil runterkommen. Ich werde euch, wie versprochen, bezahlen und ich werde euch Frankreich zeigen. Ich bin mir sicher, es wird euch gefallen!"

Justin und Jacqueline schauten sich gegenseitig an und waren für einen Moment baff. Ein Gorilla, der Schimpansen seine Dankbarkeit zeigte? Seltenheitswert. Justin schrie: „Na ja, wir könnten versuchen, das Ding einigermaßen in den Wind zu drehen, über einem Waldstück absenken, noch mal den Motor durchstarten und mit den letzten Tröpfchen Sprit", er sah wieder vorwurfsvoll zu Jacqueline, „versuchen wir, das Ding in diesem ‚Berlin' zu landen."

„Genau! Runter nach Frankreich!", brüllte Rico wieder gegen den Wind an. „Lasst es uns versuchen!"

Die zwei legten sich ins Zeug, aber die Maschine war schon fast ins Trudeln gekommen, es war kaum möglich, diese Klapperkiste zu stabilisieren. Trotzdem dauerte es durchaus einige Minuten, bis sie weiter absanken, was ihnen noch etwas Zeit verschaffte, nach geeigneten Landeplätzen, oder besser gesagt Absturzplätzen, Ausschau zu halten. Ein Waldstück mitten in der Stadt erschien ihnen naheliegend als einigermaßen federnder Landeplatz und so rasten sie geradewegs darauf zu.

Als der Motor noch einmal durchstartete, war Hannes längst in Ohnmacht gefallen, das Schaf hörte sich an wie ein Hare-Krishna-Jünger, der ständig und immer wieder das gleiche vor sich hin murmelte. Der Kater war abgesprungen, der Bock hatte sich zusammengekauert und Jacqueline und Justin schrien so laut, wie es ging, während sie die Maschine mit einem lauten Crash in die Baumwipfel steuerten.

Es knatterte nicht mehr – es krachte und wumpste und stank nach Rauch und Metall und es schleuderte unsere Helden aus der Maschine auf die unterschiedlichsten Baumwipfel voller grüner französischer Blätter. Durch Geäst und Gebälk fielen, rutschten und flogen sie. Zweige brachen, Holz knirschte, der ganze Wald lärmte, bis endlich … alles wieder zur Ruhe kam und keiner wusste, ob es nun vorbei war mit dem Leben oder ob es erst beginnen sollte.

Berlin liegt in Frankreich

Als Rico die Augen aufschlug, wusste er nicht, ob er einen Traum hatte, bereits tot war oder ob das, was er wahrnahm, tatsächlich die Wirklichkeit sein sollte. Wenn dem so wäre, dann war sie jedenfalls unangenehm kalt.

Er lag auf Gras, einige abgerissene Äste neben ihm, aber es schien so, als wäre sein Plan aufgegangen. Die Bäume hatten den Absturz abgefedert und als er sich langsam aufrichtete, schien ihm dieses Frankreich langsam sehr real zu werden. Vögel zwitscherten friedlich, der Himmel breitete sich in einem strahlenden Blaugrau über ihm aus und die wenigen grauen Wolken waren eine willkommene Abwechslung: Wer hatte denn gesagt, dass Frankreich genauso aussehen müsste wie seine Heimat?

Die Umgebung war eigentlich sehr schön – für eine Stadt. Noch viel schöner, als er es sich vorgestellt hatte. Denn eigentlich stand er in einer Art Wald. Sahen französische Städte so aus? Hatte er nicht aus der Luft glitzernde Dächer gesehen?

Ricos Eitelkeit zerstreute seine Fragen, denn ihm wurde schlagartig bewusst, dass er ziemlich mitgenommen aussehen musste. Und schließlich wollte er einigermaßen vorzeigbar aussehen, wenn er nun schon bald die ersten gebildeten Franzosen antraf. Er zog seine Spiegelscherbe heraus und musterte sich darin. Nicht nur sein Körper, auch sein Gesicht hatte gelitten.

Während er sich noch betrachtete, hörte er plötzlich ein Rascheln. War das Hannes? Wo waren Justin und Jacqueline? Und die anderen? Ein erneutes Rascheln.

Und da sah er es plötzlich wieder, als Reflexion in seinem Spiegel, wie ein Déjà-vu. Die Zeit schien stillzustehen, als sich ein wunderschönes Reh für einen kurzen Moment in der Scherbe spiegelte. War es etwa als blinder Passagier mit ihnen hierhergekommen? Dieses Mal wollte er unbedingt mit ihm reden – er hatte immer gewusst, dass er es wiederfinden würde! Blitz-schnell drehte er sich um, doch mit einem Sprung war das Reh auch schon wieder verschwunden, irgendwo im Dickicht.

„Jean-Pieeeeeerre, ich habe Schmerzen!" Ein klägliches Jam-mern holte ihn jäh zurück auf den Boden der Tatsachen. Es kam aus einem Busch.

„Hannes?", fragte Rico und lief sofort in Richtung der Stimme, in Gedanken immer noch bei diesem faszinierenden Rehlein.

„Hier bin ich! Hier!", keuchte Hannes und mit einem Hand-griff hatte Rico seinen Freund auch schon aus dem Gestrüpp ge-fischt und hielt ihn vor sich, nur um ihn im nächsten Moment fest an sich zu drücken und zu umarmen.

„Ich bin so froh, dass du da bist!", entfuhr es ihm. Im nächsten Moment hatte er sich allerdings schon wieder gefasst, er setzte Hannes sanft auf dem Boden ab und fügte hinzu: „Ich meine, wir sind schließlich im gleichen Team. Wir kämpfen für die Freiheit und für Frankreich und so!"

Hannes grinste zufrieden.

„Wo hast du denn Schmerzen?", fragte ihn Rico, doch Hannes hatte diese schon fast wieder vergessen.

„Auf geht's, lass uns Frankreich erkunden!", verkündete er schwankend und noch leicht benommen, aber enthusiastisch.

Den beiden wurde plötzlich bewusst, dass sie ganz allein wa-ren. Wo waren die anderen nur abgeblieben? Justin und Jacque-line waren erst mal verschwunden und auch von Rudi, dem Ka-ter, fehlte jede Spur. Hier gab es überall etwas Gras, wenn auch nicht so frisch, wie von Harald gewünscht. Aber Harald war nicht da.

Rico und Hannes fühlten sich etwas verloren. Würden sie ihre Freunde je wiederfinden? Vielleicht hatten sie sich schon auf den Weg gemacht? Denn zumindest waren keine verletzten oder to-ten Tiere zu sehen.

„Harald? Peter? Rudi? Justin? Jacqueline?", riefen sie noch eine ganze Weile lautstark, doch sie erhielten keine Antwort. So entschieden sich unsere Helden, erst mal zu zweit weiterzulaufen, aber sie hatten die anderen nicht vergessen.

Ihre nächste Begegnung war aber nicht mit einem alten Bekannten. Es war der erste Einheimische! Vor ihnen stand völlig unerwartet ein grunzendes Wildschwein mit furchterregenden Eckzähnen!

„Alter, ey, wat wollt ihr denn hier – ihr seht ja aus, als kommt ihr aus'm Wald, ihr Vögel!", posaunte es ihnen entgegen.

„Ähm, entschuldigen Sie, mein Name ist Jean-Pierre Gargouille. Mein Freund Hannes und ich sind neu in der Stadt. Sie sind der erste Franzose, den wir kennenlernen", sagte Rico in großer Ehrfurcht. „Wir sind auf der Suche nach dem Zentrum. Dort, wo dieser Turm steht, für den die Stadt bekannt ist. Wir möchten unbedingt wissen, wie das Leben hier in Frankreich funktioniert, um zu lernen und zu wachsen und –"

„Halt mal die Luft an, Alter", tönte das Wildschwein. „Dit is mir ja völlich neu, dat Berlin in Frankreich liecht. Aber wenn's so sein soll, is mir dit ejal. Ihr wollt zum Fernsehturm, nehm ick ma an. Na, dann kommt ma mit, ick lade euch uff 'ne Currywurst ein, ihr seid sicha hungrig!"

Rico sah das Wildschwein nur entgeistert an.

Es fuhr fort: „Ick heiße übrigens Hans-Jürgen – willkommen hier in Berlin, los jeht's!"

Demo

Der Weg zum Zentrum führte sie aus dem Wald hinaus, an Wänden voller Graffiti und Anarchie-Zeichen vorbei, an Hochhäusern und Luxusautos. Auf so mancher Parkbank hatten es sich Obdachlose gemütlich gemacht und Rico staunte über den Reichtum, aber auch über die überbordende Armut dieser Stadt.

„Na jetze, erzählt ma, wat seid ihr denn nu für Vögel? Wat macht ihr denn hia in Berlin?", polterte Hans-Jürgen wieder los.

Rico war immer noch etwas zurückhaltend, aber nachdem Hannes neugierig mit seinen Augen an jedem zweiten Gebäude kleben blieb, hatte es sich einfach so ergeben, dass Rico und Hans-Jürgen gemeinsam vorneweg liefen. Es blieb ihm quasi nichts anderes übrig, als sich dem überlegenen französischen Intellekt zu stellen.

„Also, uhm, ich habe so viele Fragen im Kopf, dass ich gar nicht weiß, ob ich die Ihrigen, Herr, also, Hans-Jürgen, richtig beantworten kann", drückte er sich umständlich aus.

„Ach Quatsch! Immer locker durch die Hüfte, mein Juter", meinte Hans-Jürgen und fügte hinzu: „Ick hab' noch niemanden jejessen, nur weil er wat Blödes von sich jejeben hat, und ick sage dir, ick kenn' so viel Hornochsen in dieser Stadt, da könnste aber so wat von satt werden, wennde die alle essen würdest, haha."

Rico war verwundert über die lockere Art der Franzosen. Aber es machte ihm auch ein wenig Mut, sich selbst etwas zu entspannen und sich nicht so überfordert, unterlegen, fremd und hilflos zu fühlen. Zum wahrscheinlich ersten Mal in seinem Leben war er tatsächlich erleichtert, auf jemanden zu treffen, der sich nicht so viele Gedanken darüber machte, was er sagte und wie er wirkte. Rico wusste ja, dass er nicht aus einer besonders vornehmen Familie kam. Er war nie stolz auf seine Herkunft gewesen, hatte Respekt immer mit seinen Muskeln eingefordert. Aber Frankreich war selbstverständlich eine andere Welt. Hier kämpfte man mit dem Kopf! Und dass man ihm gegenüber auch noch so freundlich war, übertraf seine Erwartungen bei Weitem.

„Also, wir … wir sind eine Art Gruppe, die, ähm, sich gegen die Arbeitsbedingungen in unserer Heimat zur Wehr gesetzt hat und jetzt auf der Suche nach einem besseren Ort ist. Berlin ist die Stadt, die wir verstehen wollen. Wir suchen nach Gerechtigkeit, Niveau und der Freiheit zu wachsen – geistig zu wachsen, bis wir so groß sind wie …", er suchte nach möglichst poetischen Worten, um sich auch möglichst französisch anzuhören, „so groß sind wie Mammutbäume."

Das Wildschwein lief einfach weiter und hatte sich – Ricos Ansprache war etwas zu lang gewesen – eher auf den Weg konzentriert. „Da hinten kannste schon dit Park Inn sehen, dauert nich' mehr lange", gab es völlig gelassen zurück, um dann doch noch irgendwie auf Ricos Antwort einzugehen: „Also, ihr seid quasi so 'ne Jewerkschaftstruppe, wa? Seid ihr dann heut' och auf der Demo?"

Rico wollte sich natürlich keine Blöße geben und außerdem gab es auch keine Pläne, daher entgegnete er: „Selbstverständlich, wir kämpfen und demonstrieren für Frankreich. Das war der Plan unserer Gruppe." Nach kurzer Überlegung fügte er fragend hinzu: „Dieses ‚Jewerkschaftstruppe'-Thema – damit meinen Sie, ähm, Demonstranten, oder?"

„Joa, klar, dit ist allet irjendwo dit gleiche", entgegnete Hans-Jürgen und ergänzte: „Na, dann wünsch' ick euch heut' Abend mal viel Spaß im schwarzen Block. Dit wird 'ne ordentliche Abreibung geben mit 'nem Gorilla an Bord, haha!"

Déjà-vu vu à la Révolution

Hannes hatte einige Fetzen des Gesprächs zwischen Rico und Hans-Jürgen mitbekommen und war ganz begeistert. „Du hast das SO TOLL gesagt. Mammutbaum. Hach – herrlich!", schwärmte er. „Das ist GENAU das, was wir wollen. Wachsen und verstehen und uns entwickeln und lernen und einfach wenigstens EINMAL im Leben auf der richtigen Seite stehen. Die richtigen Entscheidungen treffen. Ich LIEBE es!"

„Ja, schon", murmelte Rico. Er hatte so viele Fragen und konnte sich gar nicht richtig konzentrieren. Und für Hans-Jürgen schien alles so einfach zu sein. Aber gut, der war ja auch Franzose und ihm intellektuell haushoch überlegen. Sein Dialekt hörte sich zwar nicht französisch an, aber das war bei einer Weltmetropole wie Berlin ja auch keine Überraschung. Offensichtlich kamen Intellektuelle aus aller Welt in diese Stadt. Für Rico war demnach klar, dass ihm eine große Vielfalt an Tieren und Dialekten begegnen würde. Es war sogar vielmehr eine Bestätigung – jeder schien hier die Chance zu bekommen, Franzose zu werden! Vor lauter Grübeln bemerkte er gar nicht, dass sich vor ihm der Turm der Stadt erhob, denn sie waren langsam am Alexanderplatz, dem Zentrum Berlins, angekommen.

„Da issa, der Protzstengel", frohlockte Hans-Jürgen und deutete auf den Berliner Fernsehturm.

Hannes und Rico standen staunend da und hatten ihre Köpfe in den Nacken gelegt, denn das Ding war so hoch, dass man es kaum mit einem Blick erfassen konnte.

„Meine Fresse", sagte Rico. „Was zum Geier ist das denn? Das ist riesig! Aber irgendwie … ich weiß nicht." Umständlich kramte er die alte Postkarte hervor und hielt sie neben den Fernsehturm. Es wäre einem Blinden aufgefallen, dass dies nicht der Turm der französischen Stadt auf der Karte war.

„Wat haste denn da?", erkundigte sich Hans-Jürgen. „Haste den jesucht? Keene Sorge – musste nich' bis nach Paris, dat is' hier in Berlin, aber im Westen drüben. Dat is' der Funkturm."

„Also sind wir in der richtigen Stadt?", fragte Rico, immer noch ein wenig schüchtern.

„Na klar, Dicker, du bist hier definitiv in Berlin", hallte – oder sollte man sagen: lallte – es ihnen entgegen. Dieses Mal war es allerdings gar nicht Hans-Jürgen, der ihm geantwortet hatte, sondern einer der vielen schwarz gekleideten Demonstranten, die an ihm vorbeiliefen.

„Wir sind in dieser Stadt in Frankreich, von der alle träumen", flüsterte Hannes. „Das ist doch der Hammer! Wir haben's wirklich geschafft!"

Der ganze Platz war voll mit schrägen, schwarz gekleideten Gestalten, die offenbar hier verabredet waren. Man hatte eine Bühne aufgebaut mit Mikrofonen und es dauerte nicht lange, bis sich der erste Redner davor hinstellte und auf die Massen einplärrte. „Genug IST GENUG!", schrie er ins Mikrofon. Das Publikum belohnte ihn mit tosendem Beifall. „Die Stadt gehört uns!", schrie er – wieder lautstarker Jubel. „Die Revolution ist angekommen!!! Ihr habt vielleicht davon gehört, wie sich im Süden der Welt, im Wald, die Arbeiter vereinigt haben und die Banken plünderten. Vielleicht habt ihr es sogar entdeckt? Ein paar von ihnen sind sogar heute unter uns! Oder habt ihr jemals einen Gorilla in Berlin gesehen?!"

Wieder kam ihm tosender Applaus entgegen, nur Rico hatte gerade das dringende Bedürfnis, ganz schnell zu verschwinden.

„HEY, GORILLA! Mann, es wäre echt eine EHRE, wenn du zu uns sprechen könntest, Alter! Wir wären sowas von fett, krass unendlich geehrt, wenn du dich erniedrigen könntest, etwas Schlaues zu sagen. Ey, Mann, wir brauchen einen starken Typ, der weiß, wo's langgeht. Komm doch her!"

Zögerlich wagte sich Rico einige Schritte vor.

„Wie heißt du denn?", fragte der Redner laut ins Mikrofon. Rico nuschelte ein leises „Jean-Pierre" und es klang auch längst nicht so selbstbewusst, wie das einmal der Fall gewesen war. Aber sein Name verbreitete sich wie ein Lauffeuer durch die Menge und erreichte schnell den Redner auf der Bühne, der daraufhin ins Mikrofon brüllte: „JEAN-PIEEEEEEEEERRE! Hört und seht nun unseren neuen Mann, der extra aus dem Süden, der Stadt des vielen Geldes, angereist ist und uns nun sagt, was wir heute brennen lassen!"

Vive la France!

„Ahem", sagte Rico ins Mikrofon und die Lautsprecher warfen seine Worte hallend an die umliegenden Betonwände. Das Mikrofon quietschte. Ein Helfer flüsterte ihm ins Ohr: „Gehen Se mal näher ran, dann quietscht dit nich' so."

„Äh, also, na ja", ergänzte Rico – nun ohne Quietschen, dafür mit ordentlich Echo und Hall. „Das mit der Revolution ist ja so eine Sache." Er versuchte sich zu sammeln, während sein hilfesuchender Blick über die Menge glitt, in der Hoffnung, Hannes ausfindig zu machen. Der hatte doch ein Händchen für solche Situationen. Hannes hoppelte auch schon auf die Bühne, um seinem Freund zu Hilfe zu eilen.

„Sag einfach was Cooles über Frankreich und wie du das so empfindest. Was findest du an Frankreich schön? Sei einfach du selbst!", motivierte ihn Hannes flüsternd.

Rico stammelte los: „Also: Warum bin ich nach Frankreich gegangen? Ich denke, egal, wer oder was wir sind. Und ja, ich bin ein Gorilla. Und manchmal werde ich wütend und flippe irgendwie aus. Und danach tut es mir dann leid. Also, was ich sagen will: egal, wer oder was wir sind. Wir haben doch das Recht, uns weiterzuentwickeln. Zu wachsen. Wenigstens nicht abgeschrieben zu werden. Frankreich. In Frankreich habe ich mich verliebt. Weil … weil, also, da war so ein Rehlein … ach, egal!"

„Der hat sich verknallt, der Typ, in eine scharfe Braut aus Frankreich", wieherte ein Demonstrant aus der ersten Reihe.
Rico war sichtlich verunsichert und sagte unüberlegt: „Also, ich finde Frankreich jedenfalls toll, weil es dort erst mal deutlich weniger Gorillas gibt!"

Ein Raunen ging durch die Menge. „Haste wat gegen Gorillas, oder wat?!", schrie ein Schimpanse und fügte hinzu: „Dann kannste dir ja gleich mal selbst weg von der Bühne schubsen, ha!"

Rico versuchte, das zu ignorieren, und fuhr fort: „Egal, ob mit oder ohne Gorillas, ich meine das nicht genau so, wie ich das jetzt gerade, ühm, gesagt habe." Es klang nicht besonders überzeugend.

Hannes bemerkte, dass die Stimmung ins Negative zu kippen drohte, und spornte Rico an: „Mehr Emotionen, Jean-Pierre, denk an die ganzen positiven Sachen aus Frankreich, dann werden sie dich lieben, die Franzosen!"

„Ja, also, jetzt komme ich zum Punkt: Egal, ob Gorilla oder nicht, egal, ob aus Frankreich oder nicht. Egal, wer oder was wir sind. Wir alle haben das Recht, unendlich zu wachsen. Unendlich zu lernen, zu verstehen, uns zu verbessern und –"

„VIVE LA FRANCE!", schrie Hannes ins Mikrofon, denn er hatte das Gefühl, genau das würde jetzt sehr gut zu Ricos Worten passen, ehe der sich wieder in Unklarheiten verlor.

Es dauerte einen Moment, bis der Schlachtruf bei der Menge ankam.

„Jawohl!", schrie einer ohne ersichtlichen Grund. Ein anderer kam ihm nach: „Jawohl – VIVE LA FRANCE – wir sind alle Franzosen, Tiere und keine Faschisten. Wir sind Revolutionäre – so meint der dit!"

Und dann schien die Menge zu verstehen – beziehungsweise zu missverstehen – und man fing an, den Schlachtruf zu wiederholen. „VIVE LA FRANCE – lang lebe die Revolution."

„Kopf ab den Kapitalisten!", schrie eine Schildkröte, die es sich auf einer Lautsprecherbox bequem gemacht hatte. Und ein Pferd wieherte: „Revolution, Revolution, Revolution!"

„Mit 'nem Gorilla als Anführer machen wir die alle platt", jubelte der schwarz gekleidete Sprecher, der Rico auf die Bühne geholt hatte. Auf sein Zeichen setzte sich die wütende Menge in Bewegung, um alles zu zerlegen, was nicht niet- und nagelfest war. Wahlweise könnte man es auch anzünden oder anderweitig verunstalten, da war man nicht wählerisch. Hannes und Rico schauten dem hemmungslosen Treiben entgeistert von der Bühne aus zu. Der Mob legte nun erst richtig los und schickte sich an, vom Alexanderplatz ausgehend durch die ganze Stadt zu ziehen.

Einer der Schwarzgekleideten fragte Rico: „Na, wat is' denn nun mit euch los – habt ihr wat an den Augen, oder wie? Habta nüscht jedacht, dat wir so leicht zu motivieren sind, wa?"

Rico kam Hannes dieses Mal zuvor und antwortete: „Ehrlich gesagt: Ich will nur noch weg von hier. Gibt es hier irgendwo Tiere, die genau das Gegenteil von euch seid?"

Der Schwarzgekleidete war entgeistert. „Wie, wat? Willste jetzt zu den Spießern, Alter, zu den Kleingärtnern, so wie in Hohenschönhausen, oder wat? Ey, hau bloß ab, wenn dit dein Klientel is'. Hier brauch'n wa dich eh nich' mehr, siehst ja, läuft wie am Schnürchen." Er grinste Rico und Hannes ins Gesicht.

Die beiden Freunde verschwanden wortlos. Doch Rico war jetzt voller Hoffnung. Das echte Frankreich schien in Hohenschönhausen zu liegen.

Echte Berliner Wildschweine

D ie gelb leuchtende Berliner S-Bahn preschte heraus aus dem Bahnhof Alexanderplatz und Rico war begeistert von dieser Art Fortbewegungsmittel. Alles war neu und interessant, alles schrie nur danach, entdeckt zu werden.

Hannes verspürte allerdings eine wachsende Unsicherheit. Nichts von dem, was er über Frankreich zu wissen geglaubt hatte, bestätigte sich an diesem Ort. Auch dieser seltsame Turm, der angeblich in der Mitte der Stadt stehen sollte, hatte sich bisher nicht finden lassen, daher musste er seinen Zweifeln Ausdruck verschaffen.

„Jean-Pierre, bist du dir wirklich sicher, dass wir in Frankreich sind? Ich meine, bisher haben wir noch nichts von dem gesehen, was auf der Postkarte abgebildet war, die uns der Verkäufer in der Stadt des Geldes gezeigt hat. Denkst du nicht, wir könnten vielleicht doch danebenliegen?"

„Wir sind auf dem Weg nach Hohenschönhausen, dorthin, wo die echten, stilvollen Franzosen wohnen. Wir fragen sie einfach, wo dieser Turm von der Postkarte ist, und dann können wir ganz sicher sein, dass wir in Frankreich sind", erwiderte Rico entschlossen.

„Ähm, wir könnten sie auch einfach direkt fragen, ob wir hier in Frankreich sind, denkst du nicht?", meinte Hannes zögerlich.

„Bist du wahnsinnig? Sollen wir uns derart blamieren? Kommt gar nicht infrage! Wenigstens einmal im Leben möchte ich ernst genommen werden. Hier gibt es doch kaum Gorillas. Jeder in dieser Stadt würde auf mich zeigen und sich mein Gesicht merken. Was meinst du, wie ich mich zum Gespött machen würde?! Ich sage denen doch nicht im Ernst, dass ich nicht sicher weiß, wo ich eigentlich bin! Wenn ich eine Erfahrung gemacht habe, dann die: Wenn jemand mehr weiß als du, und sei es vielleicht auch nur auf einem bestimmten Gebiet, dann wird er sofort auf dich herabschauen, wenn er merkt, dass du es nicht weißt."

„Na gut", meinte Hannes grübelnd. „Stimmt irgendwie."

„Hier müssen wir umsteigen!", stellte Rico fest und sprang auf.

Sie hatten sich den Weg erklären lassen und wussten, dass sie am Ostkreuz in die Regionalbahn 12 umsteigen mussten, da offenbar irgendeine Tram ausgefallen war. Der nette Frosch, der ihnen Auskunft gegeben hatte, hatte nur irgendeinen „kack Schienenersatzverkehr" erwähnt, aber das klang für Rico nicht französisch, sondern eher chinesisch.

Am Ostkreuz ausgestiegen, hatte Rico endlich die ersehnte Offenbarung, einen Hinweis, dass er definitiv auf dem richtigen Weg war. In großen roten Lettern prangte da direkt vor ihm ein wunderschöner französischer Schriftzug: „Le Crobag". Das klang nicht nur französisch, das war französisch! Um einen Hauch dieser goldenen Hochkultur zu erhaschen, lud Rico Hannes auf ein besonders leckeres Mittagessen mit feinstem französischem Café, Croissants und allerhand Leckereien ein. Durch die ganze Aufregung, den Absturz und die Eskapaden am Alexanderplatz hatten sie vergessen, wie hungrig sie eigentlich waren. Sie konnten sich kaum losreißen von diesem erlesenen Gebäck, aber irgendwann waren sie so satt und zufrieden, dass sie Höhenschönhausen beinahe vergessen hatten.

Nachdem der Hunger besiegt war, dauerte es noch eine Zeit lang, bis sie schließlich das richtige Gleis gefunden hatten. Dann endlich, nach einigen Stationen Fahrt mit dem Zug, war Frankreich zum Greifen nah – sie waren am Ziel angekommen: Der S-Bahnhof Hohenschönhausen lag ruhig und still vor ihnen. Der Treppenaufgang wirkte etwas grau und fade und als sie ihn erklommen, war auch der Ausblick dunkel, denn die Sonne war bereits im Untergehen begriffen. Rico und Hannes spazierten die

Straßen entlang, bis einige lange Häuserblocks vor ihnen aufragten.

Von Gärtnern war aber erst einmal nichts zu sehen. Dafür saßen ein paar Wildschweine auf den Treppen vor den Hauseingängen. „Hey!", rief eines. „Ist das ein Gorilla?! So einen hab' ich hier ja noch nie gesehen!"

Rico ging entschlossen auf die Gruppe zu.

„Guten Tag, mein Name ist Jean-Pierre Gargouille und wir wollten uns gerne einmal mit echten Berlinern unterhalten."

„Na, da seid ihr definitiv richtig", entgegnete eines der Wildschweine. „Wir sind die einzig wahren und echten Berliner. Unverfälscht, ungeschönt, abseits des Mainstreams der Innenstadt-rich-Kids. Allerdings vertrauen wir hier niemandem so einfach. Wir müssen erst mal klären, ob ihr gechipt seid."

„Gechipt?", wunderte sich Hannes.

„Ja, gechipt. Ob Bill Gates euch bereits einen Chip implantiert hat und euch abhört oder nicht. Hier kommt nicht jeder rein. Nur wer sauber ist, bekommt Zugang zu uns. Das müsst ihr zwei uns aber erst beweisen!"

Der große Q

Rico zitterte vor Angst. Was würde passieren, wenn man herausfand, dass er gar kein echter Franzose war? Dass er sich nur einen französischen Namen gegeben hatte? Würde solch eine Unehrlichkeit hier bestraft werden? Frankreich schien jeder Art Tier eine Chance zu geben, aber unehrliche und aggressive Gorillas waren hier wohl kaum erwünscht. War also alles umsonst gewesen? Würde man ihn mit Schimpf und Schande nicht nur aus der Stadt, sondern aus dem ganzen Land jagen?

„Was machen wir jetzt?!", flüsterte er Hannes verzweifelt zu. „Wir sind doch nicht aus Berlin – die sehen nicht gerade aus, als hätten sie ein Herz für Zugereiste."

Das erste Mal auf dieser Reise hatte Rico mehr Angst als Hannes. Denn der kleine Angsthase war deutlich weniger besorgt.

„Jean-Pierre, ich glaube nicht, dass wir uns Sorgen machen müssen. Die reden die ganze Zeit von irgendeinem Chip. Ich wüsste jedenfalls nicht, dass ich irgendeinen Chip implantiert bekommen hätte, und einen Bill Gates kenne ich ebenfalls nicht."

Rico wurde schlecht. Vielleicht gab es irgendeinen Spezialtest, der beweisen würde, dass er zu hundert Prozent noch nicht mal ansatzweise französischer Abstammung war. Wer würde schon einem unehrlichen, unflätigen Gorilla wie ihm eine zweite Chance geben? Einen Bill Gates kannte aber auch er nicht und zur Not müsste er eben wieder kämpfen. Es gab anscheinend keine andere Möglichkeit für ihn.

„Ruhe jetzt! Solange Q nicht geklärt hat, ob ihr gechipt seid, solltet ihr euch nicht gegenseitig irgendwelche Sachen verschwörerisch zuflüstern. Das akzeptieren wir nicht!", grunzte das Wildschwein die beiden an.

Q? Wer war Q? Hannes und Rico konnten nur rätseln.

Die Wildschweine führten sie einen kleinen Weg entlang. Die Gegend wurde grüner, die Häuser kleiner und schließlich lag da vor ihnen tatsächlich eine Kolonie mit Kleingärten. Es war bereits dunkel und die kleinen Häuser waren nur spärlich beleuchtet. Rico hatte kein gutes Gefühl. Die Wildschweine führten sie immer weiter von den Kleingärten weg, bis sie schließlich eine Wiese mit einem eingezäunten Areal erreichten. Ein Bewegungsmelder aktivierte sich, als sie sich näherten, und ein Scheinwerfer erleuchtete das Gehege grell.

„Q?", rief eines der Wildschweine nervös. „Ähm, ich hoffe, du bist noch wach, du, ähm, ich ... also, wir ... wir wussten nicht, was wir mit diesen Neuankömmlingen hätten machen sollen."

Das Gehege war groß, der Scheinwerfer konnte nur den vorderen Teil ausleuchten. Dahinter wurde die Wiese immer dunkler, bis sie schließlich komplett im Schwarz der Nacht verschwand. Es war ein unheimlicher Ort.

Die Wildschweine waren sichtlich aufgeregt. Eines versuchte es noch einmal: „Q? Ähm, großer Q, wir brauchen deinen Rat wegen ... wegen ... wegen der, also, ähm, Neuankömmlinge."

Keine Antwort.

Rico sah Hannes fragend an. Was wartete in dieser dunklen Ecke des Geheges auf sie? Instinktiv spannte er seine Muskeln an, seine Hände formten sich zu Fäusten.

Dann nahmen sie eine Bewegung wahr. Aus dem Dunkel trat langsam ein schwarzes Etwas hervor. Mit anmutigen, wohlüberlegten Schritten bewegte es sich aus der Dunkelheit heraus und wurde sichtbar.

Es war ein schwarzes Pferd mit seidig glänzendem Fell. Rico entspannte sich. Ein Pferd war keine Bedrohung für ihn. Der Gedanke, seine Identität könnte auf irgendeine magische Art und Weise enttarnt werden, machte ihn aber immer noch unruhig.

„Q!", rief das Wildschwein wieder, dieses Mal entzückt darüber, dass sich der Gesuchte nun endlich blicken ließ.

Das Pferd kam näher, bis es am Ende des Geheges angekommen war. Es sah gut aus und wirkte selbstbewusst. „Willkommen in der Freiheit", sagte Q mit sonorer Stimme.

Rico und Hannes waren unsicher. „Danke", antwortete Hannes nervös. „Sie haben es ja ganz gemütlich hier. Ich meine ... mit dem Licht. Also, es wirkt praktisch. Wenn man müde wird, kann man sich in den unbeleuchteten Teil des Geheges begeben. Oder man bleibt irgendwo in der Mitte stehen, dann ist es so halb beleuchtet. Quasi ein fließender Übergang. Es wirkt von hier aus ziemlich geheimnisvoll, also künstlerisch wirklich interessant, wenn Licht so in der Dunkelheit verschwindet. Also, nicht verschwindet, sondern, ich meine – autsch!"

Rico hatte Hannes in die Seite gezwickt, denn das nervöse Gequatsche klang aus seiner Sicht nicht besonders hilfreich.

Das Pferd hatte die Augen geschlossen und atmete tief und hörbar ein. „Ich spüre sowohl positive als auch negative Schwingungen", sagte es konzentriert.

„Was schwingt?", fragte Hannes.

Das Pferd öffnete ein Auge. „Alles schwingt", erwiderte es ernst und schloss es wieder.

Rico sagte lieber nichts. Die ganze Situation schien ihm immer noch bedrohlich. Vielleicht konnte dieses verrückte Pferd Gedanken lesen?

„Die Regierungen versuchen, uns zu kontrollieren. Schließt eure Augen, damit ich eure Gedanken lesen kann."

Rico fing an zu schwitzen. Er versuchte zwanghaft, in seinem Kopf immer und immer wieder zu wiederholen, dass er ein Franzose sei und auch wirklich Jean-Pierre heiße. Er hatte ständig das Gefühl, auf irgendeine Art und Weise enttarnt zu werden.

„Entspannt euch", sagte das Pferd mehrmals.

Hannes war bereits leicht eingenickt und gab leise Schnarchlaute von sich. Es war ein langer Tag gewesen.

Schließlich öffnete das Pferd überrascht die Augen. „Ich habe es – ich weiß, wer ihr seid!"

Entlarvt!

D ies ist meine Anweisung", sagte das Pferd pathetisch, nun wieder mit geöffneten Augen und entschlossenem Blick. Die Wildschweine duckten sich gehorsam.
„Es muss sich um eine ernste Sache handeln. Die Politiker versuchen, uns zu infiltrieren." Q wirkte sichtbar angespannt.
Rico liefen die Schweißperlen über sein Gesicht.
„Ihr müsst nun stark sein. Alle. Eindringlinge müssen sich bewähren. Sie müssen ihre Reinheit unter Beweis stellen. Ihre Loyalität. Sie müssen auf unsere Fahne der Freiheit schwören. Sie müssen uns begleiten in unserem Kampf."
Das Pferd war zweifelsohne höchst charismatisch und hatte auf die Wildschweine eine nahezu hypnotische Wirkung. Hannes und Rico konnten hingegen überhaupt nichts damit anfangen.
„Finden Sie nicht, dass es ein wenig komisch ist, von Freiheit zu sprechen, wenn man selbst in einem Gehege lebt?", unterbrach Hannes daher ungewohnt forsch.
Die Wildschweine schwiegen schockiert und machten große Augen.
Der große Q hingegen blieb entspannt. „Natürlich lebe ich nicht in einem Gehege. Ihr lebt in einem Gehege. Um diesen Zaun zu überwinden, benötigt ihr deutlich mehr spirituelle Kraft, als ihr im Moment habt. Wenn ihr eines Tages diesen Zaun überwindet und bei mir seid, habt ihr die absolute Freiheit gewonnen."
Rico runzelte die Stirn. Die französische Weisheit dieses Q überforderte ihn eindeutig. „Ich hab' das jetzt noch nicht ganz verstanden. Sie meinen, wir sind in einem Gehege?", fragte er vorsichtig.
„Meine Freunde, ihr seid neu in dieser Stadt. Das lese ich in euren Augen", antwortete das Pferd pathetisch und fügte an die

Wildschweine gerichtet hinzu: „Ihr müsst Geduld mit ihnen haben. Sie wissen noch überhaupt nichts von den Mikrochips, die Bill Gates ihnen unter die Haut spritzen möchte, von der Verschwörung unserer Regierung, von dem baldigen Untergang dieses gesamten Systems."

Ein Wildschwein versuchte noch einmal, Rico die Welt zu erklären. „Also, Leute, dieser Zaun hält UNS davon ab, in die Freiheit zu kommen, okay? Wir sind noch nicht so weit, aber Q hat es eben geschafft. Er ist in der absoluten Freiheit. Ist das nicht unglaublich toll?"

„Reicht mir bitte noch etwas von dem frischen Gras herüber, das dort hinten wächst", unterbrach Q die Wildschweine.

„Selbstverständlich!", erwiderten diese im Chor und rannten übereifrig los, um dem großen Q frisches Gras von außerhalb des Geheges zu bringen.

Hannes wunderte sich. „Äh, großer Q, wieso essen Sie denn dann das Gras, das nicht in der Freiheit wächst?"

„Gewohnheit", entgegnete Q schmatzend. „Ich möchte die traurige Erinnerung an die Vergangenheit in Unfreiheit nicht verlieren. Damit ich nie vergesse, wie wertvoll die Freiheit ist. Nun aber zu eurem Auftrag: Diese Innenstadt-rich-Kids mit ihren schwarzen Kapuzenpullis nerven uns total. Beschmieren alles mit Graffiti und machen sich viel zu wichtig. Ihr – und damit meine ich vor allem dich –", er deutete auf Rico, „müsst diesen Leuten mal eine ordentliche Abreibung verpassen. Sie sind blind und folgen dem politischen Mainstream. Man muss ihnen die Augen öffnen. Als Beweis dafür, dass ihr es geschafft habt, bringt mindestens zehn schwarze Kapuzenpullis an diesen Ort. Wir werden sie als Zeugnis unseres großartigen Sieges an Pfählen aufhängen und danach auf eBay verkaufen."

Die Wildschweine applaudierten begeistert.

Hannes zwickte Rico in die Seite und deutete so unauffällig wie möglich auf den Boden innerhalb des Geheges. Rico sah nur trockene Erde. Was wollte Hannes ihm sagen?

Der flüsterte ihm ins Ohr: „Jean-Pierre, dieses Pferd will einfach nur Aufmerksamkeit und frisches Gras. In Wirklichkeit wurde es selbst im Gehege eingesperrt, wahrscheinlich wegen irgendeinem Verbrechen – ich glaube, ich will gar nicht wissen, was es gemacht hat. Jedenfalls manipuliert es jetzt von dort aus alle anderen, damit es sich schön Futter servieren lassen kann. Seine Anhänger erledigen doch jeden Blödsinn, den dieser Q sich wünscht, und jetzt probiert er es auch mit uns."

Rico war zuerst sprachlos. Dann presste er ein wütendes „Tschüss!" hervor, drehte sich um und ging einfach.

Hannes versuchte noch zu vermitteln, um die Gegenseite nicht zu sehr vor den Kopf zu stoßen: „Also, jetzt nichts gegen dich, großer Q, aber ich glaube, der gute Jean-Pierre hat einfach was ganz anderes erwartet. Ich glaube, ihr könnt ihm auf seiner Suche nicht wirklich helfen."

„Moment mal!" Das Pferd wurde lauter. „Was sucht dieser Jean-Pierre denn überhaupt?"

„Ähm, also, eigentlich ist er auf der Suche nach dem echten Frankreich und nach irgendeinem Rehlein, glaube ich", sagte Hannes, dem es selbst nicht ganz klar war.

„Frankreich?"

„Ja, Frankreich."

„Egal. Also, wegen diesem Rehlein, da kann ich euch durchaus mit einem Rat helfen." Das Pferd atmete tief ein, schloss die Augen und atmete dann langsam und bedächtig wieder aus. Es fuhr pathetisch fort: „Es gibt da so eine Theorie. Jeder kennt jeden über sechs Ecken. Wenn ihr also sechs gute Freunde um euch herum versammeln könnt, dann seid ihr mit der ganzen Welt verbunden, denn jeder kennt jeden über sechs Personen."

„Ich, ähm, werd's ihm ausrichten", versprach Hannes hektisch, denn Rico war schon vorausgeeilt.

„Moment mal, Hase!", sagte Q. „Gibt es keine Gegenleistung für diesen weisen Rat?"

Hannes hoppelte schnell in eine Ecke mit besonders viel frischem Gras, riss ein Büschel aus und warf es ins Gehege. „Ich hoffe, das ist genehm", sagte er und lief, so schnell er konnte, Rico hinterher.

Das Pferd grummelte: „Besser als nichts", und schmatzte weiter im Scheinwerferlicht.

Hannes hatte Mühe, Rico einzuholen. Der hatte sich erst in normaler Geschwindigkeit entfernt, war dann aber immer schneller geworden, bis er aus Wut förmlich rannte.

„Warte mal, Jean-Pierre!", keuchte Hannes. „Findest du nicht auch, dass das hier alles irgendwie genauso wie bei uns daheim ist? Hier scheinen sich alle gegenseitig zu hassen und verprügeln zu wollen!"

Rico keuchte ebenfalls, er war enttäuscht, wütend – alles in einem. Er schwieg.

„Also, Jean-Pierre, ganz ehrlich: Meinst du, also … könntest du dir für einen Moment vorstellen, dass, nun ja … dass, also, ich will dir nicht zu nahe treten", druckste Hannes herum.

„Na, sag schon, Hannes! Sag einfach, was du denkst, es ist in Ordnung", ermutigte Rico ihn.

„Also, meinst du nicht, dass vielleicht Frankreich gar nicht dieser besonders tolle Ort ist? Dass hier vielleicht eigentlich alles genauso ist wie überall sonst? Und dass wir vielleicht selbst auch ein wenig schuld sind, dass es so oft zu solchen Reibereien kommt? Ich meine, um es dir ganz ehrlich zu sagen: Ich bin nicht besonders stolz darauf, was ich in der Stadt der Arbeit gemacht habe. Klar, ich dachte, das wäre ganz großartige Kunst, aber, aber … aber ich glaube, ich bin nicht besser als alle anderen hier." Hannes schluchzte laut auf.

„Hannes, lass gut sein! Wir haben doch beide schon festgestellt, dass wir nicht die Schlausten sind. Aber vielleicht finden wir ja doch noch jemanden hier, der uns zumindest weiterhelfen kann. Wir haben diesen Turm noch nicht mal entdeckt. Damals, bevor wir uns getroffen haben in der Stadt der Arbeit, habe ich im Wald dieses Rehlein gesehen. Es kam aus Frankreich und ich schwöre dir, wenn du wüsstest, wie schön es war, dann würdest du mich –"

„Du klingst verliebt", unterbrach ihn Hannes. Als er Ricos verschämten Gesichtsausdruck bemerkte, fügte er schnell hinzu: „Keine Sorge – das bleibt unser Geheimnis. Aber ein Rehlein? Das ist ganz schön gewagt."

„Ich weiß", sagte Rico fast schüchtern. „Aber es geht um mehr als nur das Rehlein. Vielleicht führt es uns zu ganz neuen, ähm – wie sagst du immer? – Bewusstseinsebenen", zitierte Rico aus Hannes' gelegentlichen Exkursen in sein Weltbild.

„Du bist also in Wirklichkeit wegen einem Rehlein hier, richtig?", fragte Hannes noch mal kritisch nach.

„Nein, also, ich … wie soll ich das ausdrücken? Das Rehlein war das letzte Puzzleteil, der entscheidende letzte Anstoß, der mir noch gefehlt hat. Ich wusste einfach, ich muss nach Frankreich. Man weiß doch über Frankreich, dass es dort so ein tolles Niveau gibt. Maler, Poeten, Schriftsteller und viele Leute, die sich eben nicht nur prügeln."

„Ja, verstehe", murmelte Hannes. „Du vermisst deine Heimat, nicht wahr, Jean-Pierre?"

Rico fühlte sich ertappt. „Ähm, na ja – Heimat ist übertrieben. Um ehrlich zu sein, kenne ich Frankreich selbst nur vom Hörensagen."

Sie saßen auf den Stufen eines Hauseinganges und waren immer noch außer Atem. Sie wussten nicht so recht, wie es weitergehen sollte.

Hannes kramte die alte Berliner Postkarte hervor – er hatte großes Verständnis für Rico. „Moment mal", sagte er. „Hans-Jürgen hat doch von diesem Funkturm gesprochen. Das steht hier auch genau so auf der Karte." Er deutete auf den kleinen Beschreibungstext unter den Bildern. „Wir sollten jetzt einfach die nächstbeste Person nach diesem Funkturm fragen. Vielleicht finden wir sogar jemanden, der so freundlich ist, uns bis dorthin mitzunehmen."

Gerade hatte er den Satz fertig gesprochen, da kam ein langsam vor sich hin stolzierender Hahn um die Ecke.

Rico ergriff die Chance. „Entschuldigen Sie, werter Herr, könnten Sie uns den Weg nach Fra- ... ähm, ich meine, den Weg zum Funkturm zeigen? Wir haben uns leider verlaufen."

„Ach, Monsieur, isch 'abe eigentlisch gar keine Zeit", sagte der Hahn ein wenig eingebildet. „Abär wenn Sie sum Funkturm möschten ... oh, mon dieu, dann ge'en sie einfach mit mir mit, da isch eh dort wohne." Rico entgleisten die Gesichtszüge. Der Fremde sprach mit genau demselben weichen Akzent wie sein Rehlein! Hatte er hier endlich einen echten Franzosen getroffen, einen mit Niveau?

Vom Baden und von Fertigpizzen

Es war eine lange Fahrt vom Osten der Stadt in den Westen. Mittlerweile war es spät am Abend und der Hahn war nicht nur ein wenig arrogant, sondern anscheinend auch etwas übel gelaunt. „Das iest är, diesär blöde Füüünktürm, was wollen Sie da eigentlisch? Ah, egal", sagte er, beantwortete sich damit seine eigene Frage und präsentierte die Stahlkonstruktion mit einer gelangweilten Handbewegung.

Und tatsächlich! Vor ihnen stand genau der Turm, der auf der Postkarte abgebildet war. Nun konnten sie sich also endlich sicher sein in dieser wunderschönen französischen Stadt zu sein, von der alle träumen und die sie auf der alten Postkarte in der Stadt des Geldes entdeckt hatten.

Es war kaum jemand in der Umgebung zu sehen – die Berliner schienen ihren eigenen Sehenswürdigkeiten nicht besonders viel Aufmerksamkeit zu schenken. Daher beschlossen sie, eventuell am nächsten Tag noch mal zu kommen. Vielleicht würden sie ja dann neue Inspiration für ihre Reise bekommen.

„Es ist schon ziemlich spät", gähnte Hannes. „Wollen wir uns hier irgendwo hinlegen?"

Rico wollte gerade antworten, da unterbrach der Hahn ihn entsetzt: „Mon dieu – Sie sind obdaglos? Es wird immär schlimmär in diesär Stadt!" Er wackelte auf und ab und schimpfte auf Berlin, auf Europa, wie alles den Bach runterging, auf das Verschwinden der Mittelschicht, auf seine verpfuschte Karriere und alles, was ihm sonst noch einfiel, immer wieder vom Ausruf „Oh, mon dieu!" unterbrochen.

„Ähm", stotterte Rico, nachdem er irgendwann den Eindruck gewann, der Hahn habe genug geschimpft, „wir sind das gewohnt, wir schlafen oft, ähm, draußen."

Der Hahn hielt nur kurz inne, um dann fortzufahren: „Mon dieu! Das kommt gar nischt in Fragä. Was soll's! Isch näme Sie mit zu mir, abär nür für eine Nagt – verste'en Sie?!"

„Sehr gerne, werter Herr Hahn", sagte Hannes begeistert und auch Rico versuchte, sein schönstes, freundlichstes Grinsen aufzusetzen in der Hoffnung, der cholerische Vogel würde endlich mit seinen Schimpftiraden aufhören.

Er wohnte nur ein paar Straßen entfernt vom Funkturm und es dauerte höchstens zehn Minuten, bis sie angekommen waren. Ein schöner Weg, der mit Reben überdacht war, führte zu einer schweren hölzernen Eingangstür. Wunderschön! So hatte sich Rico Frankreich vorgestellt!

Im Eingangsbereich wartete ein roter Teppich darauf, betreten zu werden. Figuren und Ornamente zierten die Wände. Ein alter Käfigfahrstuhl aus dem neunzehnten Jahrhundert wurde vom Hahn geöffnet und brachte sie in den zweiten Stock. Rico und Hannes waren sehr aufgeregt. Was würde sie wohl erwarten? Was könnte ihnen dieser gebildete Franzose doch alles über das Leben erzählen!

Schließlich waren sie an der Wohnungstür angekommen. Auf dem Klingelschild stand „Dr. Gockel". Seufzend schloss der Hahn die Tür auf und ließ sie eintreten.

Die Wohnung war gemütlich, hohe Decken machten sie einigermaßen imposant. Sie schien größer wirken zu wollen, als sie tatsächlich war. Im Wesentlichen bestand sie nur aus einem Zimmer. Eine kleine Küchennische und ein Bad ohne Fenster, das schon deutlich bessere Jahre gesehen haben musste, komplettierten das Apartment. Doch Rico und Hannes waren höchst beeindruckt! Noch nie hatten sie so etwas Edles gesehen, es schien ihnen wie eine Offenbarung.

„Mon dieu", seufzte der Hahn wieder, „isch kann diese Unordnung und dieses bescheidene Apartment erklären", als würde er sich entschuldigen müssen. „Isch war einmal ein erfolgreicher Geschäftsmann, abär isch wollte immär hö'är, hö'är, hö'är." Er gestikulierte wild mit seinen Federn. „Isch 'abe meine Job gekündigt, weil isch dagte, isch stünde kürz davor, einen Literatürnöbelpreis su ergattärn."

„Wow", staunte Hannes.

„Nischt wow!", korrigierte Herr Dr. Gockel energisch. „Isch war dümm wie noch nie in meinem erbärmlischen Läbän! Isch meine, isch glaube immer nog, mein Röman iste unglaublisch …", er rang nach Worten, „… unglaublisch spesiell." Er überlegte: „Abär isch war ein – mon dieu – Idiot! Idiot! Idiot! Idiot!" Er sprang vor Wut auf dem Boden herum. „Isch war ein Idiot, dass isch meine Arbeit einfach so gekündigt 'abe, immer'in war isch Verwaltungsmänägär und wäre vielleischt sogar bald befördärt wörden."

„Was ist ein Verwaltungsmänägär?", fragte Hannes naiv.

„Na, ein Verwaltungsmänägär 'alt – jemand, der sisch um die Verwaltung von wischtigen Dingen kümmärt."

„Ah", sagte Rico, „Sie verwalten also wichtige Dinge? Ich bewundere Ihre Arbeit."

„Mon dieu", wiederholte sich der Hahn, „Sie verstä'en scheinbar gar nischt, was isch meine. Egal. Bitte nähmen Sie doch ein Bad, Sie stinken gans fürschterlisch."

Es dauerte noch ein wenig, bis die beiden begriffen, was Dr. Gockel überhaupt damit meinte, und etwas Überzeugungsarbeit war notwendig, denn weder Rico noch Hannes waren mit dem Konzept einer Badewanne vertraut. Aber als der Hahn ihnen das Notwendigste gezeigt hatte, waren sie ganz begeistert von der neuen Erfahrung. Der französische Edelmann hatte sogar mehrere verschiedene Seifendüfte und sie rochen alle erstaunlich gut. Es gab auch eine parfümierte Creme, extra für die Haare, namens „Shampoo" und das Wasser war so warm, als käme es direkt aus der Karibik in diese Wohnung geflossen. Es war wie ein Traum für Rico.

Frisch und erholt kamen er und Hannes nacheinander aus dem Badezimmer. Dr. Gockel erwartete sie im Wohnraum.

„Es ist mir wirklisch peinlisch, abär außär diesär billigsten Fertischpisa vom Süpermarkt für ein Eurö fünfsisch 'abe isch nischts ansubieten. Isch glaubä, es ist irgendwas mit Salami."

Für Rico schmeckte es, als wäre er in einem Fünf-Sterne-Restaurant. Die Pizza war warm, der Rand war knackig, das Innere weich und die Salami würzig. Sie verschlangen ihre Pizzen, als gäbe es kein Morgen. Und das sollte es auch nicht geben.

Mon dieu!

Der nächste Morgen begann mit einem vorzüglichen Frühstück. Süße Cornflakes mit kalter Milch – Rico und Hannes waren begeistert. Sie hatten so gut geschlafen wie nie zuvor in ihrem Leben. Der Regen war in der Nacht gegen die alten Doppelfenster geprasselt und das hatte sich wunderbar angehört. Auch wenn die Farbe der Rahmen an vielen Stellen längst abgebröckelt war, die alten Dielen bei jedem Schritt knarrten und knarzten, sie liebten und bewunderten diese Wohnung. Dr. Gockel war ohne Frage ein gütiger, gebildeter und wohlhabender Mann.

Nur Dr. Gockel sah das ganz anders. „Mon dieu! Isch Idiot, Idiot, Idiot", schimpfte er am Morgen weiter und erzählte ihnen seine ganze Lebensgeschichte. Dass er nun auf „Hartz IV" sei, notorisch pleite und sich alles verbaut habe, überhaupt keine Chance mehr im Leben sehe auf Erfolg, Größe und Unvergleichbarkeit.

Rico und Hannes staunten nur stumm. Der Gockel hatte sogar „Internet", damit konnte er Filme sehen, Bilder aus fernen Welten bestaunen, mit einer Kamera um die ganze Erde fliegen und sie in 3-D betrachten. Und so viel lesen, wie er konnte und wollte. Trotzdem war er unglücklich.

Rico zögerte erst, aber dann musste er ihn einfach fragen: „Sie haben so viel, Herr Doktor Gockel – wieso sind Sie so traurig? Die leckere Pizza, die köstlichen Cornflakes, diese wunderschöne, warme Wohnung. Ihre Badewanne, das heiße Wasser. Dieses Internet und das traumhaft weiche Bett – haben Sie nicht allen Grund, zufrieden zu sein?"

„Mon dieu", antwortete Dr. Gockel nur genervt. „Sie 'aben keine Vorstellung von den Möglischkeiten des Läbens. Sie 'aben scheinbar gar kein Interässe, su wachsen und su verste'en."

Rico widersprach sofort: „Aber nein! Herr Doktor Gockel, ich wünsche mir nichts sehnlicher, als unendlich zu wachsen, also nicht körperlich, aber so, dass ich alles verstehe, was Frankreich ausmacht, und dieses, ähm, Internet und alles, was es zu entdecken gibt!"

„Er will wachsen wie ein Mammutbaum!", steuerte Hannes in seinem typischen Enthusiasmus bei, um Dr. Gockel davon zu überzeugen, dass sie - ganz im Gegenteil! - unbedingt wachsen und verstehen wollten

„Mon dieu", sagte der Hahn nur grummelig. „Vielleischt 'aben Sie rescht. Abär was ist, wenn man sisch schon mal größär gefühlt 'at und man dann das Gefühl 'at, jemand kömmt und stützt einen surecht und macht einen kleinär, als man eigentlich ist, und man wird gar nischt mehr gebraucht und kann eigentlisch aug nischt mehr – dann ist das alles eine Farce und macht keinen Sinn!"

Rico und Hannes schwiegen betreten.

„Ich will mir etwas versprechen", sagte Rico schließlich. „Ich will immer dankbar sein für das, was ich hier erlebt habe, und ich will nie vergessen, wie toll Ihre Badewanne war, Ihre Pizza, die Cornflakes, das Internet, dieser wunderschöne knarzende Boden, der Regen, der so schön gegen die Fenster geprasselt ist, oh, dieses herrliche heiße Wasser in der Badewanne –"

„Schluss jetzt! Isch kann diesen Blödsihn nischt mehr 'ören!", gackerte Dr. Gockel durch seine Wohnung, stampfte mit seinen Füßen auf und wiederholte immer wieder: „Isch IDIOT! Isch IDIOT! Mon DIEU! Iär seid komplette Versagär, jetzt erkenne isch es erst. Iär seid asösiale Elemente, tragische Dümmköpfe, die nischts, abär auch gar nischts wissen und scheinbär aug nischts wissen wollen. Sie schwätzen vön eine Mammütbaum, was füär ein primitivär Vergleisch, der nischt einmal passt. Isch 'abe einen Nöbelpreis verdient!" Er redete sich furchtbar in Rage. „Einen NÖBELPREIS!!! VERSTE'EN SIE? Isch bin Doktor Gockel, ein VÄRDAMMTÄR FAST-NÖBELPREISTRÄSCHER und sie erzählen miär die ganse Seit von ihre dämlische Erleb-nisse, vön Badewanne und Cörnflakes? Sie maken sisch LÜS-TISCH ÜBER MISCH?" Er lief rot an.

„VERLASSEN SIE AUF DÄR STELLE MEIN APARTMENT, SIE VERSTE'EN NISCHTS UND ISCH WILL MEINE KÖST-BARE SEIT NISCHT MIT SOLSCHEN UNTERSCHISCHTEN-CRETINS VÄRBRINGEN!! GÄ'EN SIE DOG IN DEN STADTBE-SIRK NEUKÖLLN, DA FINDEN SIE IHRESGLEISCHEN UND SIE KÖNNEN DORT SISCHÄR EINEN ÖRT FINDEN, WO SIE SISCH MIT WARMEM WASSER UND CÖRNFLAKES DEN GANSEN TAG BESCHÄFTISCHEN KÖNNEN!!!"

Auch wenn der Hahn nicht besonders groß war, hatte er sich so aufgeplustert, dass Rico und Hannes förmlich nach draußen flohen.

So schnell standen sie also wieder auf der Straße, ohne genau zu wissen, was denn nun den Hahn so sehr verärgert hatte. Aber er schien grundsätzlich alles negativ zu sehen und sich generell viel zu sehr aufzuplustern.

Rico und Hannes sahen einander entschlossen an, denn sie wussten genau, wo sie als Nächstes hinwollten. Dieser Hahn war ein konfuser Choleriker, doch wenn er ihnen Neukölln empfahl und es dort Cornflakes und Badewannen geben sollte, dann wollten sie dieser Spur unbedingt nachgehen.

Fahrscheinkontrolle

Es war ein grauer Novembertag. Die gelbe Berliner S-Bahn brach sich ihren Weg durch die Nebelwolken und Rico und Hannes saßen ein wenig verloren in ihrem Zugabteil, dieses Mal auf dem Weg nach Neukölln.

„Fahrkarten, bitte!", ertönte es fordernd ein paar Meter entfernt von ihnen.

„Äh, guten Tag, der Herr?", sagte Rico, nachdem der Kontrolleur näher gekommen war, eher fragend als bestimmend.

„Fahrkarten, bitte", wiederholte sich das Nilpferd, das nun unmittelbar neben ihm stand, monoton.

„Dürfte ich fragen, was genau eine Fahrkarte ist?", fragte Hannes naiv und neugierig.

„O Mann. Wieder zwei so Vögel. Isch bin hier drüben, Jens, kannste mal kommen?! Da is'n dicker Gorilla und so'n bekloppter Hase ohne Fahrkarte – nur falls die Ärger machen."

Rico und Hannes warteten schweigend. Hannes machte sich ein wenig Sorgen. Würde Rico die Ruhe bewahren können?

Am nächsten Halt baten das Nilpferd und sein Mitarbeiter – ein Krokodil – die beiden auszusteigen. Das Krokodil namens Jens fing nun umständlich an, die Situation zu erklären. „Also, ick muss Sie nun mit einem erhöhten Beförderungsentjeld verwarnen, da Sie ohne Beförderungsausweis jefahren sind, verstehen Sie dit?", sagte es mit tiefer Stimme.

„Nein, das verstehe ich nicht", entgegnete Rico. „Ich weiß überhaupt nicht, wovon Sie sprechen, und ich habe so langsam den Eindruck, Sie haben einfach ein Problem mit Gorillas!" Der Kommentar des Nilpferds von vorhin war ihm nicht entgangen und hatte ihn durchaus da getroffen, wo es wehtat. War er wirklich dick geworden? Was bildete sich dieses bekloppte Nilpferd eigentlich ein? Und dieses Krokodil war auch nicht viel freundlicher.

„Ick rede jetz ma Klartext", fuhr das Krokodil bestimmend fort, das scheinbar einen stärkeren Berliner Dialekt hatte als das Nilpferd.

„Ick habe nüscht gegen Gorillas, dit is' mir völlig ejal. Sie müssen jetz eine Fahrkarte am nächsten Automaten koofen. Ick jebe Ihnen außerdem ein Ticket für dit erhöhte Beförderungsentjeld mit, dit müssen Sie nun hier bar bezahlen. Und beim nächsten Mal koofen Sie sich einfach 'ne Monatskarte, dann kann Ihnen dit nich' passieren."

Hannes war merklich nervös. Er flüsterte Rico ins Ohr: „Einfach ruhig bleiben, Jean-Pierre, du kannst das!"

Und Rico konnte das. Er wollte es. Sich selbst und Hannes beweisen, dass er wie ein echter Franzose agieren konnte.

„Entschuldigen Sie, Monsieur, wir sind mit den Gepflogenheiten in diesem Land noch nicht ganz vertraut. Wir sind noch nicht lange in Frankreich und lernen immer noch dazu, wenn es um die örtliche Mentalität geht", erklärte er sich geschwollen.

Das Nilpferd und das Krokodil guckten sich nur einen Augenblick gegenseitig an und lachten dann laut los. „Alter!", sagte das Krokodil. „Ick wees ja nich', wo ihr herkommt, aber ihr seid echt zwei selten verstrahlte Vögel."

„Das macht dann einhundertundzwanzig Scheine", fügte das Nilpferd trocken und mit sonorer Stimme hinzu.

Rico war schockiert. Er hatte zwar relativ viel Geld, aber so viel hatte er noch nie auf einmal ausgegeben. Wortlos reichte er es rüber und die zwei Kontrolleure verschwanden.

„Die haben uns doch hereingelegt!", fuhr es aus ihm heraus, als die beiden außer Sichtweite waren.

„Nein, das haben sie nicht, die hatten doch sogar eine Uniform", beschwichtigte Hannes. Er fügte lobend hinzu: „Du hast das prima gemacht!"

Rico knurrte. Sie waren fast am Ziel angekommen. Schon die nächste Station wäre Neukölln gewesen, nun waren sie an der Hermannstraße ausgestiegen. Den Rest konnten sie aber zu Fuß laufen. Es war noch früh am Morgen und alles wirkte etwas düster. Als sie die Treppe hochliefen, bemerkten sie überall Graffitis an den Wänden. Ein paar dunkle Gestalten standen herum, ihre Kapuzen verdeckten die Hälfte ihrer Gesichter.

Oben angekommen, sahen sie ein Rudel Wölfe an der Ecke stehen. Überall standen zwielichtige Gestalten, aber dazwischen lief auch der eine oder andere Hund unerschrocken zwischen den vermeintlichen Verbrechern hindurch. Auch einige Katzen streunten ziellos umher. Dummerweise war es Rico und Hannes anzumerken, dass die beiden nicht von hier waren. Sie sahen etwas verloren und unsicher aus. Prompt wurden sie bemerkt.

Ein Nashorn kam um die Ecke gebogen, das Rudel Wölfe schloss sich ihm an, einer nickte dem Nashorn verschwörerisch zu. Die Truppe schien sich zu kennen. Hannes machte große Augen.

„Hast du misch gerade angeschaut, oder was, Alter?", fuhr ihn einer der Wölfe mit halb geöffneten Augen an. Das Nashorn näherte sich Ricos Gesicht, bis sein Horn fast seine Nasenspitze berührte.

„Was bist du für ein *hässlischer* Gorilla, Alter", grunzte es ihm in tiefster Stimme entgegen und Rico wurde rot.

Geschäfte in Neukölln

Die Situation war furchteinflößend. Die Wölfe hatten Hannes umzingelt und der bibberte und zitterte so stark, dass er Rico leidtat. Dieses Mal aber wollte er das Problem nicht einfach mit Gewalt lösen. Okay, auch die Übermacht von so vielen Wölfen und einem ernstzunehmenden, kampfbereiten Nashorn spielten dabei eine Rolle. Aber es ging auch um Frankreich. Ums Prinzip.

„Also, mein Freund hat euch sicher nicht angeschaut", versuchte sich Rico in Diplomatie.

„Willst du sagen, isch bin nischt schön genug, oda was?", rülpste das Nashorn Rico förmlich entgegen.

„Ähm, puhhh!" Rico versuchte, etwas Abstand zu gewinnen, um dem üblen Geruch aus dem Weg zu gehen. „Nein, das habe ich nicht gemeint, ich meinte nur, er hat euch sicher nicht angeschaut, und mein kleiner Freund hier", er deutete auf Hannes, „hat sicher kein Interesse an einer körperlichen Auseinandersetzung mit euch."

„Soso", grunzte das Nashorn. „Kein Interesse an einer *körperlischen* Auseinandersetzung. Weil du schon weißt, dass wir nischt an spraschlischer Auseinandersetzung interessiert sind, sondern nur an körperlischer, oder was? Weil du denks, wir sind zu blöd für Sprasche, oda was?" Nun hob es die Stimme an und ergänzte in Rage, als wäre es zu einer plötzlichen neuen Erkenntnis gekommen: „Glaubs du, isch kann nisch reden, oda was?!"

„Öhm, nein, was ich eigentlich meine, ist, der Hase hat überhaupt kein Interesse an einer Auseinandersetzung mit euch, weder sprachlich noch körperlich."

„Aha, isch bin nischt interessant genug, oda was, Alta? Hase ist nischt interessiert an mir, oda was?"

„Ähm, nein, das meinte ich auch nicht so, ich meinte nur –"

„Ja WAS? WAS? WAS?", unterbrach ihn das Nashorn.

„Was wollt ihr denn von mir?", fragte Rico, nun schon etwas verzweifelt.

„Scheine", antwortete das Nashorn nun sehr konkret.

„Scheine?", fragte Rico, als würde er die Antwort nicht verstehen.

„Ja, Scheine, hast du was auf den Ohren, Alta."

Rico dachte einen Moment nach. Was würden sie ohne Geld machen? Er wollte sich nicht mehr schlagen, aber Gerechtigkeit wollte er schon. Was für ein unangenehmer Zwiespalt. Ihm wurde die Entscheidung abgenommen.

„Da seh' isch doch ein paar schöne Scheine, oder nischt?" Das Nashorn griff nach einem Schein, der aus Ricos Seitentasche lugte. Rico bebte innerlich. Nach und nach zog das Nashorn ihm seine Scheine aus der Tasche, den Blick immer aggressiv in sein Gesicht gerichtet, bis zuletzt auch noch seine geliebte Scherbe zum Vorschein kam.

„Was is' das denn?", grunzte das Nashorn fragend.

Rico antwortete gar nichts, aber er war kurz davor, sich zu verteidigen, als plötzlich ein Hahn die Straße entlangkam.

„Ey, Alta, was soll des, machst du hier voll krass Touristen an, oda was?", rief er dem Nashorn selbstsicher entgegen und plusterte sich dabei so auf, dass die Wölfe zurückwichen.

„Weißt du eigentlisch, was der Tourismus für uns hier bedeutet? Hast du ein Problem mit Alis Hotel? Des kann isch ihm gerne sagen, dann kannst du gleisch mal in den Spiegel von dem Affen gucken, wie du ohne Horn aussiehst."

Das Nashorn schwieg nun. Bevor es wortlos abdrehte, steckte es jeden einzelnen Schein zurück in Ricos Tasche. Zurück blieben ein völlig wortloser Rico und ein Hannes, der immer noch vor Angst bibberte. „Herr Doktor Gockel?", fragte er, völlig durch den Wind.

„Was für Gockel?", fragte der Hahn zurück. „Is' des jemand, des was kranke Tiere heilt, oda was? Kann isch net, Alter. Aber was isch kann, is' Leute connecten und so. Geht gar net, dass des

Nashorn hier fremde Touristen anmacht. Sieht man ja, dass ihr net von hier seid. So voll blöd, wie ihr dursch die Gegen schaut, haha. Isch heiße Amir, kannst du mal schauen auf so paar Wände hier in Neukölln. Hab isch immer wieder voll krass drauf gesprayet, Alter, oda wie."

„Also, wir suchen einen ruhigen Ort, wo wir unsere Suche fortsetzen können. Vielleicht ein kleines Apartment mit einer Badewanne und ein paar Cornflakes mit kalter Milch", sagte Rico ehrlich, in der Hoffnung, der Hahn könne sie tatsächlich mit irgendjemandem hier „connecten".

„Lebst du auf Schtraße, oda was? Kriegen wir Lösung, sag' isch eusch. Tourismus is' der neue Drogenhandel, Alter. Wir machen gute Geschäfte, isch sag' dir des, oda was? Musst du gehen zum Arbeitsamt, isch organisier' das."

Rico und Hannes schauten sich nur schweigend an (mittlerweile hatte sich Hannes beruhigt und aufgehört zu zittern). Sollte das ihr nächster Job werden? Tourismusbranche? Klang zumindest nach einer Verbesserung nach all den unwürdigen Angeboten in der Stadt der Arbeit. Doch jede Stufe ist nur eine von vielen auf der Treppe zum Ziel. Es sollte die erste in ihrer neuen Heimat sein.

Französische Poesie

D as Arbeitsamt in Berlin unterschied sich nicht besonders vom Arbeitsamt in der Stadt der Arbeit. Nur, dass es in Berlin nicht so viel Arbeit gab.

„Nummer einhundertsechsundzwanzig", tönte es blechern aus einem Lautsprecher.

Rico und Hannes eilten zur angezeigten Büronummer siebenundzwanzig und fanden sich in einem äußerst vergilbten, angestaubten Bürozimmer wieder.

„Was kann ich *ungern* für Sie tun?", schnaufte ein Elefant auf einem viel zu kleinen Sessel, ohne sie auch nur eines Blickes zu würdigen.

„Öhm, wir suchen einen Job", sagte Hannes.

„Welch ein Wunder, da sind Sie ja scheinbar tatsächlich am richtigen Ort", antwortete der Elefant wieder gelangweilt, ohne eine Miene zu verziehen.

„Also", sagte Rico etwas dominanter, „unser Freund Amir hat uns erzählt, Sie suchen Personal im Bereich Tourismus."

Die Tür ging auf und da stand tatsächlich der Hahn Amir. Er betrat breitbeinig und selbstbewusst das Büro. Er hatte ihnen geholfen, das Arbeitsamt zu finden, und auch versprochen, mit ihnen gemeinsam dort hinzugehen, aber mit Pünktlichkeit hatte es Amir anscheinend nicht so sehr.

„Ey, Dicka, Jochen, schön, disch zu sehen, Alta, oda was?!", schrie er fast durchs Bürozimmer und der Elefant, der offenbar Jochen hieß, sprang unerwarteterweise tatsächlich deutlich motivierter von seinem Sessel auf.

„Altaaaaaaa, Amir, lange nicht mehr gesehen, was geht ab bei dir?!" Seine Stimmung schien sich sofort ins Positive zu wenden.

„Ja, alles krass. Oder so. Pass auf, Jochen, meine zwei Freunde suchen hier kleines Apartment, so Küsche, Zimmer, Bad, klein, praktisch, weißt du? Isch brauch noch paar Leute von Tourismus und so, weißt schon. Mindestlohn passt oder wie oder was. Machen wir über Zeitarbeit."

Rico und Hannes verstanden kein Wort.

Jochen offenbar alles. Er tippte auf seiner klapprigen Tastatur herum, bis ein Papier aus dem Drucker sprang, und legte es ihnen vor. „Also, werte Kollegen, das ist ein vorläufiger Vertrag einer Zeitarbeitsfirma. Hier und hier", er deutete auf die entsprechenden Stellen, „unterschreiben und dann kann's auch schon losgehen."

Kaum im Arbeitsamt, schon hatten sie einen Job. Amir schien sich um alles zu kümmern.

„Also, pass auf, Dicka", sagte er zu Rico, dem das gar nicht gefiel. „Isch zeig' eusch jetz eure Bude, die is' gut, wirst du sehen."

Sie verließen das Arbeitsamt und folgten Amir, der nur ein paar Straßen weiter tatsächlich eine Wohnung für sie organisiert hatte. Er führte sie in einen kleinen Hinterhof, der Eingang lag etwas versteckt, es ging in den fünften Stock. Oben angekommen, erwartete sie der Traum ihrer schlaflosen Nächte: ein kleines Zimmer mit zwei Betten, Küche, Bad.

„Pass auf", sagte Amir in bestimmendem Tonfall. Er hatte sich wieder einmal ein wenig aufgeplustert. „Isch muss eusch was sagen, weil isch stand auch mal so voll am Anfang, isch komm' ja eigentlisch aus Stuttgart. Aber des ist jetz wischtig mit Kultur und so, dass ihr des lernt. Jetzt seid ihr nämlisch in Neukölln, des ist praktisch Zentrum von der Welt." Er machte eine ausladende Geste. „Daher müsst ihr euren Kopf trainieren" – er deutete auf seinen Kopf – „ihr müsst clever sein, so kulturell und alles." Er räusperte sich. „Das is' ein Gedischt von Hermann Kresse, oder wie oder was. Das is', was is' mein Lebensmotto, isch sage, du passt auf:

Wie was jede Blume gammelt und jeder, was jung ist,
dem Alta ausweischt, bloomed jede Stufe,
blüht des Weisheit und des Tugend,

zur ihres Zeit und darf nischt ewig dauern,

weil wär' langweilig sonst, hab isch mir gemerkt von Deuschunter-
rischt. Egal, weiter:

Es muss des Herz, wenn einer was ruft,
ready sein für Abschied und muss was Neues starten,
und sisch in Tapferkeit und ohne Rumgeheule,
in andre neue Binden parken.

Schuldigung: Bin-dung-en, hab isch verwechselt. Und jetz kommt
des, des was mein Lieblingspart is':

Und bei jedem Anfang is magic drin,
was uns beschützt und hilft wie Dschinn,
Wir sollen voll Spaß dursch jeden Raum durschgehen,
und nirgendwo festkleben wie Pattex,

Der Geist von Welt braucht uns nischt einsperren,
Sondern Stufe, Stufe, Stufe, flexibel wie Latex – Alta,
Kaum sin' wir daheim zum Beispiel in Neukölln,
und haben uns eingerischtet, schon droht des Langeweile.

Deswegen, nur wer bereit is' auf was Neues und tut reisen,
Kann von Langeweile davonlaufen,

Vielleischt wird auch noch die Sterbensstunde,
uns zu 'ner neuen Hütte senden,
der Ruf von des Leben wird niemals enden,
So, Herz, gib Gas und werd' gesund, ey!

Alter, isch weine fast", schluchzte Amir ihnen entgegen und
Rico war maximal verwirrt. Französische Poesie war ganz an-
ders, als er sich das vorgestellt hatte. Amir hatte sich nach einem
Augenblick längst wieder gefasst.

„So, Dicka und Hase – ihr chillt jetzt hier schön, morgen acht Uhr, Amir holt eusch ab. Geht los." Er grinste die beiden mit einem wippenden Kopf an, ehe er sich breitbeinig umdrehte und wieder hinausstolzierte.

Rico und Hannes konnten noch nicht ahnen, in welchen Schwierigkeiten sie steckten.

Pariser Platz

Sie standen am Pariser Platz, mitten in Berlin am Brandenburger Tor, einem Wahrzeichen der Stadt. *Was für ein
Traum*, dachte sich Rico. Ihr neuer Job war phänomenal.
Amir hatte sie mit kleinen blinkenden Brandenburger Toren versorgt. Mit ihren leuchtenden, bunten LEDs kamen ihnen die kleinen, vielleicht fünfzehn Zentimeter großen Modelle geradezu
magisch vor.

„Sind sie nicht wunderschön?", sagte Hannes mit großen Augen.

„Ich bin sehr stolz auf uns, Hannes. Ich finde, wir haben es
geschafft. Wir leben den französischen Traum, mit eigenem
Apartment, einem Top-Job und umgeben von Kunst und Kultur."

Das Geschäft lief gut und die Ware war günstig. Drei Brandenburger Tore zum Preis von einem. Amir war wirklich ein
großzügiger Hahn. Er kam immer mal wieder vorbei, um nach
dem Rechten zu sehen. Es war ihm auch wichtig, ein wenig mehr
über Hannes und Rico zu erfahren. Für Rico war das klar – Geschäfte sind immer auch Vertrauenssache.

„Warum du bist eigentlisch nach Berlin gekommen?", fragte
Amir mit seinem starken Akzent. Rico vermutete, er hatte sich
auch aus dem Ausland nach Frankreich hinaufgearbeitet, um
dann hier eine geradezu unglaubliche Hahn-Karriere hinzule-
gen.

„Ich wusste immer, dass ich nach Frankreich will. Ich komme
aus dem Süden, da sind alle so einfältig."

Amir lachte. „Du bist ein komischer Kauz. Willst nach Frankreisch, ja? Wer sagt denn, dass alle Leute in Frankreisch super-
klug sind, oda was? Was glaubst du, was in Frankreisch für Vögel rumlaufen, Alter? Isch glaube, du hast ganz schön Scheu-
klappendenken."

Das traf Rico hart. Hannes wurde ganz stumm und hoffte, dass Ricos Respekt für Amir trotzdem anhalten würde. Das tat er auch. Aber Amir hatte tatsächlich einen wunden Punkt bei Rico getroffen. Denn auch hier in Berlin waren alle so unterschiedlich, das war Rico nicht entgangen.

Amir hatte bemerkt, dass Rico ganz stumm geworden war.

„Alter, nimm das nischt so krumm, oder was, okay? Isch glaube, du musst mal locker werden. Bist ehrgeizisch oder was, oder? Isch glaub', du kannst hier ordentlisch was reißen, Alter. Isch muss disch mal Ali vorstellen – er is' der Prinz in Neukölln, wenn du verstehst, was isch meine. Beste Connection, Alter. Jemanden wie disch kann der brauchen. Weiß nischt mit Hasen oder so oder was, aber disch definitiv."

Damit drehte er wieder ab und ließ Rico und Hannes mit ihren Brandenburger Toren stehen.

„Ähm", sagte Hannes, „Jean-Pierre, ich meine, du musst da auf mich keine Rücksicht nehmen. Ich weiß ja, wie sehr du dir wünschst, weiterzukommen, zu wachsen. Wenn ich dich aufhalte, verstehe ich das. Du musst deinen Weg gehen", und er schluchzte etwas theatralisch in sich hinein.

„Niemals!", sagte Rico entschlossen. „Wenn Ali mich braucht, kriegt er uns nur im Doppelpack!"

Ein Passant unterbrach die beiden: „Habta keene Arbeit? Mann, müssen die hier schon am Brandenburger Tor stehen mit ihrem Nippes. Dat is' doch nich zu glauben!"

Die beiden staunten. Ihre Kunstwerke schienen nicht jeden zu erfreuen. Vielleicht war das alles ein Trugschluss, wunderte sich Rico. Vielleicht war das hier nicht das Ende der Geschichte. Vielleicht war es wieder nur ein weiterer Neuanfang. Er musste an die Worte Amirs denken:

„Und bei jedem Anfang is' magic drin,
was uns beschützt und hilft wie Dschinn."

Es kribbelte auf seiner Haut, denn er hatte das Gefühl, in dieser Stadt könnte jeder Tag ein neuer Anfang sein. Er sah Hannes für einen Moment an und sagte dann entschlossen: „Hannes, heute Abend besuchen wir diesen Ali – dieses Abenteuer hat kaum begonnen, aber ich habe Lust, schon in das nächste zu springen!"

Alis Hotel

Sie ließen sich doch lieber ein paar Wochen Zeit, denn sie mussten wenigstens ein bisschen Geld verdienen, um die Miete dauerhaft bezahlen zu können. Außerdem wollten sie die neue Arbeit und die neue Erfahrung etwas genießen. Obwohl schon einige Wochen vergangen waren, war Rico ein wenig besorgt, als sie sich schließlich auf den Weg zu Ali gemacht hatten.

„Meinst du, es ist wirklich in Ordnung für Amir, wenn wir einfach so verschwinden und nach Alis Hotel suchen, ohne ihn direkt zu fragen?", fragte er ein wenig zweifelnd.

Hannes hoppelte schnellen Schrittes in Richtung U-Bahn, er hatte sich gar keine Gedanken mehr darüber gemacht. Nun hielt er einen Moment inne.

„Hm … also, es ist ja nicht so wie in der Nordbank und wir verschwinden auch nicht. Wir haben keine Schicht, die wir einhalten müssten, und Amir hat uns gesagt, wir können uns die Zeit so einteilen, wie wir wollen. Warum sollte Amir ein Problem damit haben, dass wir Ali kennenlernen? Er hatte es zu Beginn ja selbst vorgeschlagen. Indirekt arbeiten wir doch sogar für ihn. Aber du wolltest ja nicht noch mal bei ihm nachfragen, weil dir das schon wieder peinlich war. Du willst Ali unbedingt auf eigene Faust finden, also machen wir das eben jetzt."

Rico nickte beleidigt. Es hatte keinen Sinn, Hannes zu widersprechen. Ricos Eitelkeit hatte ihm geradezu verboten, Amir zu bitten, den Kontakt direkt herzustellen, und nach zwei Wochen war er einfach so ungeduldig geworden, dass er nicht mehr warten wollte. Aber es ging ihm nicht nur um einen besseren Job. Er hatte einen Hintergedanken. Vielleicht könnte dieser mächtige Ali ihm nämlich dabei helfen, sein Rehlein zu finden. Das musste Amir nun wirklich nicht wissen.

Mittlerweile war es Abend geworden, die Sonne ging bereits früh unter in Berlin, überall lagen Blätter, die nicht mehr ganz frisch aussahen. Es konnte ganz schön kalt werden in diesem Frankreich.

Neukölln sah nachts noch weniger einladend aus als bei Tag. Rico und Hannes bahnten sich ihren Weg zwischen ungewöhnlichen Gestalten hindurch, bis sie einen harmlos aussehenden Hund sahen und ihn einfach direkt nach dem möglichen Weg fragten: „Hey, ähm, Hund – kennst du Alis Hotel?", stolperte Rico los.

Der Hund war von der Anrede nicht besonders angetan. „Kennst du so was wie Höflichkeit, Mann? Du kannst einen Hund doch nicht mit ‚Hey, Hund' ansprechen?!" Er schüttelte entgeistert den Kopf.

„Entschuldige", sprang Hannes dieses Mal ein. „Wir sind nicht von hier und kennen uns auch nicht so mit den französischen Gepflogenheiten aus."

„Wieso denn französische Gepflogenheiten?", fragte der Hund, doch Rico und Hannes antworteten gar nicht, sondern fragten einfach noch einmal nach Alis Hotel, als würde dies die Wahrscheinlichkeit erhöhen, eine Antwort zu bekommen.

„Alis Hotel?", sagte der Hund fragend. „Da würde ich nicht hingehen! Es soll dort sehr viele Katzen geben und ich hasse Katzen ganz besonders!"

„Wieso hasst du Katzen?", fragte Rico.

„Ich finde sie *extrem* unsympathisch. Sie sind hinterlistig und schlagen mit ihren Pranken ohne Vorwarnung zu. Keinen Anstand haben diese Viecher!" Er redete sich bellend in Rage.

Rico versuchte abzulenken. „Also, vergiss mal die Katzen, die sind nicht alle so. Es gibt auch einige, die ganz in Ordnung sind", meinte er beschwichtigend.

„Niemals! ALLE Katzen sind schlecht, niederträchtig und voller Hass gegen uns", entgegnete der Hund überzeugt.

„Aha", sagte Rico etwas desinteressiert. „Kannst du uns trotzdem hinführen? Wir würden auch bezahlen!"

„Hm …" Der Hund zögerte. „Ich weiß nicht, wieso sollte ich euch denn hinführen? Was bringt mir das? Ich brauche kein Geld von euch."

„Nun, ich könnte für dich diese unausstehlichen Katzen verkloppen, ich bin ein Gorilla, mir macht es doch Spaß, andere Tiere zu verprügeln", sagte Rico mit entschlossenem Blick. Hannes sah ihn ungläubig an.

„Wirklich? Das klingt nach einem Deal. Du verkloppst sie alle und ich stehe dann am Ausgang von Alis Hotel und gebe ihnen den Rest." Und schon lief der Hund, dessen Name übrigens Bello war, hechelnd los – in die (hoffentlich) richtige Richtung.

Rico und Hannes folgten ihm aufgeregt. Man sah Hannes die Unsicherheit an. „Hast du wirklich vor, Katzen zu schlagen? Was ist, wenn Rudi dabei ist?!", raunte er ihm zu.

„Welcher Rudi denn?", fragte Rico in Gedanken versunken.

„Na, welcher Rudi? UNSER Rudi! Der, den wir beim Absturz verloren haben! Weißt du nicht, dass Katzen sieben Leben haben?! Rudi hat sicher überlebt, das ist für mich gar keine Frage und jetzt willst du sie einfach verprügeln zur Belustigung von einem dahergelaufenen Hund, nur weil du neugierig bist auf Alis Hotel?! Du hast Rudi schon wieder vergessen, richtig? Du hast dich nie wirklich für ihn interessiert!" Hannes' Stimme wurde immer lauter.

„Komm runter und sprich nicht so laut, Hannes", flüsterte Rico. Es war ihm ein wenig peinlich, dass er nicht mehr an Rudi gedacht hatte, aber im Moment hatte er eben Wichtigeres im Kopf. Er hatte neue Ziele und war fest entschlossen, diese zu erreichen. „Ich verprügele niemanden. Ich werde mich wie ein echter Franzose benehmen. Ich werde dem Hund zeigen, dass man mit Katzen ganz vernünftig reden kann. Sie stecken zwar ihre Nase in alles und sind viel zu neugierig, aber man muss sie doch nicht gleich hassen. Der Hund ist sicher kein Franzose, aber wenn ich mich hier richtig verhalte – wer weiß? Vielleicht hat Ali sogar eine neue Arbeit für uns? Vielleicht werden wir ‚Concierge' in seinem Hotel?"

„Concierge ...", grummelte Hannes. „Du weißt doch gar nicht, was das ist!"

„Ich weiß, es hat was mit Hotels zu tun, und ES KLINGT FRANZÖSISCH UND DAS MUSS REICHEN!", schrie Rico. Hannes hatte ihn schon lange nicht mehr so angespannt erlebt. Sein Ehrgeiz schien langsam mit ihm durchzugehen. Es war höchste Zeit, dass er einen Denkzettel bekam.

Katzenalarm!

Alis Hotel war wunderschön. Es war ein stuckverziertes Gebäude mit sechs Stockwerken. Alles war rot beleuchtet. Hannes empfand das als große Kunst, Rico hatte nur eines im Sinn: die nächste Stufe zu nehmen. Direkt für Ali zu arbeiten. Als Concierge! Was auch immer das war. Er wusste nur, dass es schöne Concierge-Uniformen gab. So eine hätte er gerne angezogen.

Sie gingen zwei Treppenstufen hoch durch die große zweiflüglige Eingangstür aus dunklem Massivholz und wurden bereits erwartet: Ein Gecko, gekleidet in klassischer Concierge-Uniform, genau wie Rico es sich vorgestellt hatte, begrüßte sie außerordentlich freundlich. „Was kann ich für Sie tun, meine Herren?", säuselte er nasal und gestikulierte dabei etwas feminin in der Luft herum.

Bello ignorierte ihn und fing sofort an, sich furchtbar aufzuregen und herumzubellen, als stünde der Angriff einer Armee bevor. „Katzen!", bellte er. „Überall Katzen, ich wusste es! Mach sie platt, Jean-Pierre!"

Und tatsächlich. Überall schienen hier Katzen herumzulaufen. Eine räkelte sich auf einem Sofa, eine andere hopste im Treppenhaus herum, es wimmelte geradezu von ihnen.

Der Concierge verdrehte die Augen. Er drückte einen Knopf und säuselte gelangweilt: „Ähm, Security bitte, ein Team ins Erdgeschoss. Da sind drei Irre im Eingangsbereich, einer davon ein Gorilla, also bitte entsprechend Manpower. Danke."

Rico erkannte den Ernst der Lage. Er hatte kein Bedürfnis, sich mit einem mächtigen Franzosen anzulegen. Er schwitzte. Was würde ein echter Franzose in seiner Lage machen? Wenn er Bello verprügelte, könnte er zeigen, dass er mit diesem Hund nichts zu tun hatte, aber was wäre das für ein Zeichen von Dankbarkeit? Bello hatte sie schließlich hierhergeführt. Wenn er Bello verteidigen und die Security angreifen würde, dann brächte ihn das womöglich in eine noch viel schwierigere Situation und er könnte selbst den Kürzeren ziehen. Oder noch schlimmer, er würde tatsächlich die Security verprügeln und Ali würde ihn niemals mehr empfangen wollen. Wenn Amir das mitbekäme, dann wären sie sogar noch ihren alten Job los! Womöglich würde er sogar das Land verlassen müssen. Mit Frankreich war auf diesem Gebiet sicherlich nicht zu spaßen! Keine der möglichen Optionen fühlte sich wirklich „französisch" an.

Er wandte sich laut flüsternd an Bello: „Bello, das sind zwar alles Katzen, aber schau doch mal genauer hin!" Bello knurrte nur. „Die sehen nicht nur alle anders aus, die SIND auch alle anders." Eine kleine Baby-Katze näherte sich ihnen.

„Der Hund, der darf da gar nicht sein, weil das ist verboten. Hunde sind hier verboten!", fiepte sie und deutete auf Bello, was die Lage nicht unbedingt entschärfte.

„Mocca, komm wieder zurück und lass den armen Hund in Ruhe", miaute ihre Katzenmama aus einer Ecke.

Mocca ließ sich nicht beirren. „Die Hunde sind hier nicht erlaubt, weil die verboten sind, weil die immer Jagd auf Katzen machen und uns anbellen, und das ist nicht erlaubt, weil das verboten ist!", fiepte sie mit noch größerer Empörung und einer unbestreitbaren Logik.

Bello musste von Rico zurückgehalten werden, der beschwörend auf ihn einredete: „Bello, stimmt doch irgendwie auch, ihr könnt doch Katzen echt nicht leiden und bellt sie ständig an. Wie soll denn da so etwas wie Sympathie aufkommen?"

Bello war nicht gerade in der Stimmung, vernünftig mit Rico zu reden, daher brüllte und bellte er nur durch die Gegend: „DU HAST ES MIR VERSPROCHEN, DIE KATZEN PLATTZUMA-CHEN, JETZT MUSST DU LIEFERN, MANN!!", und wand sich wie verrückt, um Ricos Griff zu entfliehen.

„Du hast gedacht, es würde mir Spaß machen, andere Tiere zu verprügeln, weil du denkst, wir Gorillas sind alle gleich! Genau wie du denkst, alle Katzen sind gleich!"

Rico presste die Worte zwar zunächst flüsternd hinaus, aber er musste sich sehr beherrschen, den Hund nicht ebenfalls anzuschreien.

Die Diskussion konnte nicht weitergeführt werden, denn drei riesige Nashörner betraten das Foyer, alle in gepflegten Uniformen.

Anstelle eines Planes, einer Idee, einer konkreten Vorgehensweise war Rico einfach nur fasziniert von den Uniformen der drei. „Sind Sie Concierges?" fragte er träumend. Die drei Muskelmänner aber kannten nur eine Antwort. Sie stürzten sich auf Bello, Hannes und ihn.

Eingesperrt

M ach was! Mach was!', hab' ich gesagt. Ich glaube, ich habe es geschrien, gebellt und so laut wie möglich von mir gegeben, aber du, du hast genau gar nichts getan!", knurrte und bellte Bello vorwurfsvoll vor sich hin. „Du hättest es wenigstens versuchen können! Du bist schließlich ein Gorilla! Du hast es ja noch nicht einmal versucht! Jetzt sitzen wir hier wie drei Idioten in Alis Katzenhotel, das ist doch das Letzte!"

Alle drei saßen gefesselt auf Holzstühlen in einem kleinen, fensterlosen Hinterzimmer des Hotels. Eine einzelne Glühbirne erhellte den Raum nur spärlich.

„Was macht Ali hier eigentlich?", fragte Rico, die Vorwürfe Bellos völlig ignorierend. „Ich meine, was soll das überhaupt sein, ein Hotel für Katzen?"

Alle schwiegen. Das machte Hannes nervös. „Es soll ja auch Personen geben, die Katzen mögen." Er blickte etwas vorwurfsvoll in Richtung Bello. „Vielleicht gibt es ein paar Verrückte, die hier einfach einen Kaffee trinken und dabei mit einer Katze kuscheln möchten."

„Widerlich, total pervers!", brach es förmlich aus Bello heraus. „Wer will schon mit Katzen kuscheln?!"

„Bello, ernsthaft", meinte Rico. „Nicht jeder hasst Katzen so wie du. Wir hatten sogar einen Freund, Rudi war sein Name. Das war eine Katze, ein Kater, um genau zu sein. Leider haben wir ihn bei einem Flugzeugabsturz verloren und seitdem nicht wiedergefunden."

„Ich will das alles gar nicht hören", winkte Bello ab. „Ein Kater ist ja noch schlimmer. Mich hat einer mal über das ganze Gesicht gekratzt, das war so unverschämt, dass ich –"

„HÖR DOCH JETZT ENDLICH MAL AUF MIT DEINEN STÄNDIGEN VORURTEILEN!", schrie Rico ihn an.

Wieder schwiegen alle. Die Situation war verfahren. Aber Hannes konnte Ricos Gebrülle nun auch nicht mehr so einfach stehen lassen. „Jean-Pierre, bei allem französischen Respekt. Du bist nicht gerade dafür bekannt zu differenzieren", gab er ein wenig altklug zu bedenken.

„Was willst du denn damit sagen?", entgegnete Rico missmutig.

„Concierge hier, Concierge da. Die tollen Franzosen! Berlin ist ja ach so supertoll. Und nein, es reicht auch nicht, den Job von Amir zu behalten. Nein, unser ehrgeiziger Herr Jean-Pierre muss unbedingt weitermachen und er muss Concierge werden, auch wenn er gar nicht genau weiß, was das eigentlich ist, weil er niemals mit irgendwas zufrieden ist!"

Rico schwieg. Kritik aus Hannes' Mund traf ihn sehr. Denn er mochte diesen Hasen und Hannes war eigentlich der einzige echte Freund, den er jemals gehabt hatte. Aber musste er so demütigende Kritik ausgerechnet in Gegenwart von Bello loswerden? Schließlich war er dem Hund ja dummerweise immer noch schuldig, Katzen zu verprügeln, und jetzt konnte er sich auch noch für seinen Ehrgeiz entschuldigen.

Aber tief in seinem Inneren musste er Hannes leider auch recht geben. Er war viel zu sehr damit beschäftigt gewesen, etwas vermeintlich Besseres zu werden. Dabei hatte er vergessen, was sie alles schon erreicht hatten. Gemeinsam. Gerade wollte er seine Schuld eingestehen, da näherten sich plötzlich Schritte und die Tür zu ihrem Gefängnis wurde mit einem lauten Knall aufgestoßen.

Drei muskulöse Nashörner betraten den Raum. Das kräftigste von ihnen verkündete stolz: „Meine Herren, bitte stehen Sie auf für den Chef!"

Und da war er auch, der Chef. Er stand breitbeinig vor ihnen – Ali, der mächtige Franzose höchstpersönlich.

Ali

J ean-Pierre! Hannes! Ach, ich bin ja richtig froh, euch zu sehen", schoss es aus Ali heraus.
Fassungslos bellte Bello durch den Raum: „Das ist eine Verschwörung! Eine absolute Verschwörung ist das, gegen
mich und gegen alle Hunde dieser Welt! Wieso kennen die sich
alle?! Wieso DUZEN die sich?!"

Rico und Hannes waren sprachlos. Da stand doch tatsächlich
Rudi, der Kater, vor ihnen, der mit ihnen nach Berlin gekommen
und rechtzeitig aus dem Flugzeug gesprungen war. Aber warum
nannte er sich nun Ali?

Rico und Hannes wurden die Fesseln abgenommen. Nur
Bello knurrte in der Ecke vor sich hin und brabbelte von Ver-
schwörungen, dass er nie einem Gorilla hätte trauen sollen, wie
eklig er Katzen fand und dass er Ali fertigmachen würde, wenn
er ihn allein auf der Straße träfe.

„Wieso nennst du dich denn jetzt Ali?", fragte Hannes neugierig.

„Nun ja, hier in Neukölln kommt das authentischer rüber.
Außerdem war es der Name des Betreibers dieses Etablisse-
ments, bevor ich hier in Berlin gelandet, oder besser gesagt abgestürzt, bin. Es war ein alter Kater, er war schon krank und
suchte dringend einen Nachfolger, der sein Geschäft überneh-
men würde. Bevor wir abgestürzt sind, bin ich ja freiwillig abgesprungen, weil ich wusste: Das nimmt kein gutes Ende! Jedenfalls bin ich auf dem Dach dieses Hotels gelandet und habe mich
mit dem alten Ali angefreundet. Wir sehen uns sogar ähnlich, ihr
würdet es nicht glauben. Also habe ich den Laden übernommen,
mein Geld hier investiert – und voilà, wir haben zweistellige
Wachstumsraten und sind so erfolgreich, dass uns die Arbeiter
ausgehen. Wir verkaufen diese blinkenden Brandenburger Tore
– die Touristen lieben sie! Dass wir so viel Erfolg haben, liegt

aber auch an unseren Katzen. Es gibt einfach viele Tiere, die unglaublich gerne mit Katzen kuscheln, daher habe ich hier ein Hotel mit einem Café und kuschligen Katzen kombiniert und alle lieben es!"

„Das ist so widerlich! Wer will schon ernsthaft mit Katzen kuscheln?!", bellte Bello von hinten, wurde von den dreien aber nicht mehr gehört.

„Also, öhm, ich bin ehrlich beeindruckt, Rudi", meinte Rico, der ein wenig enttäuscht war, hier nicht einen großen, gebildeten Franzosen gefunden zu haben. „Wir wollten hier eigentlich nach einer Arbeit fragen. Deine Mitarbeiter tragen ja wunderschöne Uniformen", gestand er zögerlich und etwas peinlich berührt, denn einen Kameraden um Arbeit anzubetteln, war schon eine neue Erfahrung für ihn.

Aber Rudi sah das absolut entspannt. „Hallo?", sagte er fragend. „Ich kann mir keine besseren Mitarbeiter vorstellen! Wann könnt ihr anfangen? Habt ihr schon eine Unterkunft? Ich kenne da so einen schrägen Vogel, der sich um die Verträge und das ganze Administrative kümmert."

„Meinst du Amir?", fragte Hannes und ja, tatsächlich, der war gemeint.

Es gab so viel zu erzählen. Rico und Hannes berichteten von ihren Abenteuern, Hannes schmückte sie manchmal ein wenig mit Erfundenem aus und Rudi führte erklärte, wie es ihm ergangen war, wie es sich so lebte in Berlin und wie sein Geschäftsmodell dermaßen erfolgreich werden konnte.

Nachdem geklärt war, dass sie ihren alten Job aufgeben konnten und beide direkt als Concierges in Alis Hotel starten würden, hatte Rico das Gefühl, endlich am Ziel angekommen zu sein. Schon bald würde er eine edle Uniform tragen und als Concierge seinem neuen Land dienen.

Doch noch war Ricos Geschichte nicht vorbei. Es fehlte ihm nämlich noch etwas zum Glück und Rico hatte es nie vergessen.

Dieses wunderschöne französische Rehlein, der Inbegriff von allem, was sich Rico von Frankreich erhoffte und ersehnte, musste doch irgendwo zu finden sein! Mit einer festen Arbeit als Concierge, einer eigenen Wohnung, Cornflakes und sogar einer Badewanne musste doch jedes Rehlein dieser Welt zu beeindrucken sein! Fest entschlossen und mit neuem Selbstbewusstsein blickte Rico in die Ferne. Seine Suche sollte jetzt erst richtig losgehen.

Auf der Suche nach einem Rehlein

Wie willst du das machen?", fragte Hannes zweifelnd. „Diese Stadt ist riesig, wir wissen nicht mal, ob dieses ominöse Rehlein auch nach Berlin gekommen ist und selbst wenn, wie sollen wir herausfinden, wo es ist?"

„Ich muss es einfach versuchen", entgegnete Rico nicht zweifelnd, aber verzweifelt. „Wir haben so viel erreicht. Ich glaube, wir können alles schaffen, wenn wir nur fest daran glauben."

Sie saßen in ihrer Stammkneipe, dem *Monte Christo*, einem etwas betagten italienischen Restaurant mit fairen Preisen. Mit Rudi, der nun wieder zu ihrer kleinen Gruppe stieß, fühlte es sich fast an wie bei einem Veteranenstammtisch. Mittlerweile arbeiteten sie schon seit mehreren Wochen in Alis Hotel und alles lief prima.

„Ich bin der Meinung, wir sollten erst mal die anderen finden. Zusammen weiß man immer mehr", meinte Rudi.

Die Gruppe nickte sich stillschweigend zu.

„Öhm, und wo fangen wir an?", fragte Hannes, weil das Schweigen ihn nervös machte. „Wo könnte zum Beispiel Harald sein?"

„Harald ist immer auf der Suche nach frischem Gras. Er hat sich nichts sehnlicher gewünscht", sagte Rico etwas traurig, denn er hatte seine Freunde tatsächlich fast vergessen und dies musste ihm leider erst von den anderen vor Augen geführt werden.

Rudi schreckte auf. „Frisches Gras? Na, ich weiß, wo man das finden kann! Nicht weit von hier. Im Görlitzer Park. Da gibt es jede Menge frisches Gras."

„Um diese Jahreszeit?", staunte Hannes.

Rudi ließ sich nicht beirren. „Das ist doch schon lange das Geschäftsmodell einiger Nashörner. Die verkaufen frisches Gras.

Deswegen habe ich gesagt, das macht keinen Sinn, ich konzentriere mich lieber auf Katzenkuschelhotels und blinkende Brandenburger Tore. Hat ja auch bestens funktioniert!"

„Wow, was du nur für ein Geschäftsmann geworden bist", staunte Hannes voller Bewunderung.

„Ein Banana-Bier, bitteschön", unterbrach die Bedienung.

Die drei genossen das Essen und den Frieden, den sie gefunden hatten.

„Also gehen wir zu diesem Görlitzer Park und suchen nach Harald – einfach so?", fragte Rico ein wenig zweifelnd.

„Klar, Mann. Ich habe hier ein erfolgreiches Unternehmen übernommen, ich kenne ganz Neukölln und man kennt mich. Das wäre doch gelacht, wenn wir die anderen nicht finden würden. Und wenn wir sie gefunden haben, dann finden wir auch dieses Rehlein."

Hannes überlegte. Q hatte damals gesagt, es gäbe eine Theorie: Jeder würde jeden über sechs Ecken kennen. Man müsse also nur sechs Freunde versammeln und dann könnte man jeden finden, den man suchte. Nur was wäre, wenn dieser Unsinn gar nicht stimmte, so wie der andere Quatsch, den dieses verrückte Pferd erzählt hatte? Aber selbst, wenn sie das Rehlein nicht fänden, immerhin wären sie wieder in ihrer alten Truppe vereint – sechs echte Freunde.

Rico musste so oder so viel mehr Rücksicht auf seine Freunde nehmen, fand Hannes, und vielleicht wäre dies sogar genau der richtige Schritt, um seinem Freund wirklich zu helfen.

„Es gibt da so eine Theorie", setzte er an, „dass jeder jeden irgendwie über maximal sechs Ecken kennt. Das heißt, wenn wir Harald und Peter finden, dann wären wir schon zu fünft. Fehlt nur noch einer, zum Beispiel Amir, und irgendwer von denen kennt dann jemanden, der jemanden kennt, der dieses Rehlein kennt. Also zumindest habe ich das einmal gehört."

„Stanley Milgram", platzte plötzlich der Kellner dazwischen. „Noch jemand ein Banana-Bier?"

„Wie, Stanley Milgram?", fragte Hannes.

„Na, das ist der Forscher, der das behauptet hat mit diesen sechs Kontakten. Ich lese gern", sagte der Pinguin, der mit weißem Hemd und schwarzer Weste bekleidet war. „Hatte das eben nur von euch aufgeschnappt."

Die drei staunten und Rico war wieder voller Tatendrang und Hoffnung. Wenn jeder jeden über sechs Ecken kennen konnte, dann würden sie das Rehlein bestimmt wiederfinden!

Sie beschlossen, am Wochenende den Görlitzer Park zu besuchen. Aber sie ahnten nicht, dass sie dort eine überraschende Auseinandersetzung erwartete. Denn einige hatten an Alis Hotel ganz gehörig etwas auszusetzen …

Frisches Gras

Einige Zeit verstrich, ehe sie sich schließlich an einem Samstagmorgen aufmachten, um ihren Freund im Görlitzer Park zu suchen. Nebelschwaden lagen schwer auf den sanften Hügeln, als sie den Park betraten. Ein bisschen unheimlich war er Rico schon.

„Der ist ja nicht gerade klein, dieser Park", meinte Hannes etwas missmutig. „Bis wir Harald hier finden, wird es doch ewig dauern."

„Bleib mal locker", meinte Rudi selbstbewusst. „Die sind hier alle irgendwo. Man muss nur ein wenig in die Parkmitte hineinspazieren, dann kommen sie schon aus ihren Löchern."

Und tatsächlich. Als sie langsam weiter ins Innere der Grünanlage vordrangen, schälten sich plötzlich Umrisse aus dem Nebel, die wie – ja tatsächlich! – wie Schafe aussahen.

Rico freute sich sehr. „Danke, Rudi, du bist echt der Größte!"

Bisher war Harald aber offensichtlich nicht darunter, denn sie sahen im ersten Moment nur schwarze Schafe.

„Schafe sind Schafe", meinte Rudi. „Wo eins ist, da sind immer auch andere."

So gingen sie etwas näher ran und Hannes wollte sich gleich mal nach einem weißen Schaf namens Harald erkundigen, als er bemerkte, dass die schwarzen Schafe nicht besonders freundlich dreinblickten. Eines von ihnen schaute Hannes finster an und fragte: „Was guckst du, willst du was kaufen, Hase?" Hannes lief rot an und machte den Mund wieder zu.

Rico hingegen versuchte sein Glück auf altbewährte Weise. Er rückte seinen altmodischen Concierge-Hut zurecht und sagte: „Entschuldigen Sie, Monsieur, wir sind Concierges aus Alis Hotel und auf der Suche nach einem weißen Schaf namens Harald. Wir sind noch nicht lange in Berlin und wir haben den Verdacht, unser Freund könnte sich verlaufen haben in dieser großen Stadt."

Das Schaf guckte nur ernst und murmelte etwas wie „Meint der das ernst?" zu einem Kollegen.

Rico versuchte es erneut, dieses Mal etwas energischer: „Also, wir arbeiten alle für Ali, der hier auch dabei ist, ihr wisst schon, der mächtige Ali mit seinem Hotel, und ich denke, wir könnten sicher eine Belohnung für euch organisieren, wenn ihr uns helfen könntet, unseren Freund zu finden."

Das schwarze Schaf blieb ernst und rief dann laut: „Kirin, Aiman, Locco: Das sind die Trottel aus Alis Hotel! Und Ali selber ist wohl auch dabei!"

Die Antwort folgte prompt. Aus dem Nebel wurden langsam die Umrisse von drei langen Hörnen sichtbar. Ehe Rico bewusst werden konnte, dass an diesen Hörnern drei Ungetüme hingen und dass es sich nicht um Hörner, sondern um Nashörner handelte, die ganz und gar nicht freundschaftlich unterwegs waren, standen sie schon dicht vor ihnen.

„Sind das diese Rindviecher, die uns das Geschäft versauen und Arbeiter abwerben?", fragte einer der Kolosse mit unheimlich dunkler Stimme.

„Mit Verlaub, es sind keine Rindviecher, sondern ein Hase, ein Kater und ein Gorilla, Kirin", meinte das schwarze Schaf.

Ohne darauf einzugehen, schob der Riese die nächste Frage hinterher: „Ist dieser Ali auch dabei?"

„Na, das wird wohl der Gorilla sein, denke ich mal", kam wieder postwendend die Antwort des Schafes.

Und während Rico noch anfing, „Monsieur, entschuldigen Sie, vielleicht kann ich Ihnen ein Croissant in Le Crobag holen, ich meine, wir sind Concierges, wir müssen uns doch nicht auf diesem Niveau ..." zu stammeln, stampften die drei Nashörner auf ihn zu, um ihm jeglichen französischen Verstand aus dem Leibe zu prügeln.

Rette sich, wer kann!

W aaaaaaaaaaaahhhhhhhhh", schrie Hannes. Rudi ging zur Attacke über und kratzte eines der Nashörner empfindlich an den Augen. Die aber hatten nur ein Ziel: „Schnappt euch den hässlichen Gorilla, das ist sicher Ali!", schrien sie sich gegenseitig an.

Rico lief um sein Leben – das erste Mal in Frankreich. Das erste Mal lief er hier davon. Vor Franzosen? Was waren das nur für Franzosen? Wo war er da nur gelandet?

Rudi hatte Glück, er war viel schneller als die Angreifer und hatte sich im Nu auf einen Baum gerettet. Hannes konnte Rico nicht im Stich lassen, war aber gelähmt vor Angst. War das das Ende?

Irgendwann hatte Rico genug. Er legte eine Vollbremsung hin, richtete sich so würdevoll auf, wie es ging, und stellte sich seinen Verfolgern. „Was wollt ihr denn überhaupt von uns?", keuchte er.

Die Nashörner bremsten ebenfalls. „Chef, Locco, hierher, wir haben sie!"

Und der Chef kam. Er baute sich vor Rico auf und schnauzte ihn mit spanischem Akzent an: „DU MACHE UNSE GE-SCHEFFTE KAPUTTO, KLARO, DU IDIOTA! WIR MACHE DICH E PLATT WIE EINE KAPUTTE STUCK BROT, DU!"

„Alta", sagte das andere Nashorn. „Was meenst du denn mit kaputtem Brot? Dit macht doch gar keenen Sinn. Bei Brot kann doch gar nüscht kaputtgehen, dit is' doch Quatsch mit Soße."

„DU E MIR E NICHT E SAGE, WAS E ICH E MACHE SOLL!!!", brüllte das Nashorn.

Hannes hatte seinen ganzen Mut aufgebracht und war näher gehoppelt. Er versuchte es diplomatisch mit etwas Sicherheits-abstand. „Also, öhm, jetzt, wo wir alle so nett beieinanderstehen, könnten wir doch eine kreative Lösung für dieses Problem su-chen, findet ihr nicht? Beziehungsweise, bevor wir nach einer kreativen Lösung suchen, müssen wir erst mal verstehen, wo genau das Problem liegt. Also, ich habe verstanden, dass wir angeblich eure Geschäfte kaputtmachen. Warum denkt ihr das?"

Die Nashörner waren von der Freundlichkeit des Hasen offensichtlich etwas überrascht, denn sie hatten sich wohl eher einen Kampf auf Leben und Tod vorgestellt.

Der Nashorn-Chef hatte jedenfalls eine klare Meinung: „DU MACHE GESCHEFFT KAPUTT, WEIL DU VERKAUFE BESCHEUERTE BRANDEBURGE TORE, DIE WAS BLINKEN!! ICH E VERKAUFE FRISCHES GRAS, DAS WAS NICHT MAL BLINKT, WAS IS' DAS FÜR EINE SCHEISENDRECK?"

Hannes versuchte sich weiter in Diplomatie, während Rico sich gedanklich auf das Schlimmste einstellte. Er hatte geahnt, dass ihre Geschäfte irgendwann ein böses Ende nehmen würden. Es war alles zu schön gewesen, um wahr zu sein.

„Könnte es euch helfen, wenn wir damit aufhören würden? Bisher wussten wir doch gar nicht, dass das ein Problem für euch ist. Eigentlich sind wir sogar auf der Suche nach euch. Unser Freund Harald ist der größte Fan von eurem Gras. Wir vermissen ihn schon seit Wochen, wir wissen nicht, ob es ihm gut geht. Vielleicht können wir sogar etwas Gras bei euch kaufen?", entgegnete Hannes, der seine Angst völlig vergessen hatte, weil er im entscheidenden Moment beschlossen hatte, das *Gute* in diesen riesigen Nashörnern zu sehen.

„WAS FÜR GRAS DU WOLLE HABEN UND WAS DU REDEN DA VON IRGENDEINE HARALD?", echauffierte sich das jähzornige Nashorn weiter.

„Harald ist ein Schaf und er liebt Gras. Daher dachten wir, er könnte hier sein", entgegnete Hannes wieder ruhig und freundlich.

„WAS E FÜR EINE SCHAF E, WIE E, WELCHE FARBE?"

„Also, er ist ein weißes Schaf, er heißt Harald und er wünscht sich nur eines: Gras. Ich habe hier sogar noch einen Schein", antwortete er, während er dem Nashorn einen Geldschein hinüberreichte, „und ich würde gerne dafür bezahlen."

„DU BESAHLE FÜR MEINE GESCHEFFT, DAS WAS IST KONKURRENZ FÜR DEINE GESCHEFFTE? BISS E DU E BESCHEUERT?"

„Wieso glauben Sie denn, dass Ihr Geschäft eine so große Konkurrenz für unser Geschäft ist? Ich meine, blinkende Brandenburger Tore und ein Katzenkuschelhotel statt wunderschönem, saftigem Gras? Das ist doch was ganz anderes. Ich glaube, dass euer Geschäft einfach unter dem Winter leidet. Die meisten Tiere mögen im Winter doch weniger Gras. Da erholt man sich eher und schläft mehr, anstatt zu essen."

„ERHOLE HIER, ERHOLE DA, WAS WEISS E ICH?", schrie das Nashorn, sodass es durch den ganzen Park hallte.

„Ja, ich würde gerne mehr darüber erfahren, was du denkst und was du weißt", erwiderte Hannes freundlich.

„ICH DIR GLEICH SAGE, WAS DAS ICH WEISS, ICH", brummte das Nashorn und verstummte, denn es wusste eigentlich gar nicht genau, was es sagen wollte. Es war einfach nur sauer, aber dieser Hase war so freundlich, dass es das Nashorn völlig aus dem Konzept brachte.

„ICH SAGE DIR GLEICH, ABER ICH WEISSE NOCH NICHT GENAU, WAS", brüllte es wieder.

„Alter, lass jut sein. Ick globe, die ham dit schon verstanden. Jetz verkoofen wir denen einfach 'n büschen Gras und dann finden die vielleicht ihren Freund, diesen Harald oder wat", sagte das andere Nashorn. Das dritte näherte sich und reichte einen kleinen Plastikbeutel mit Gras herüber.

„SCHEINE MIT E SWANSIG DRAUF, DU", drohte der Chef.

Hannes zahlte mit einem Schein, der mit der Nummer zwanzig markiert war, nahm den kleinen Plastikbeutel und wollte sich gerade umdrehen, als das zornige Nashorn wieder das Wort ergriff.

„DU E, ICH E MUSS E ETWAS FRAGE!", gab es unverändert lautstark von sich, um dann plötzlich von SEHR laut auf flüster-leise umzustellen.

„Ich e habe Probleme mit e meine Son."

„Was meinen Sie denn mit ‚Son'?", fragte Hannes verwirrt.

„NA, SON HALT, DES NASHORN, DES WAS MEINE SON IS."

„Ach, Ihr Sohn, jetzt hab' ich's verstanden. Verzeihung. Was ist denn mit Ihrem Sohn?"

„DIESE SON MACHE MICH WAHNSINNIG! IS TOTAL E KRÜMELKACKA! WEISS E ALLES BESSER! Ich e denke, du e hast e gutes Diplo…, wie soll e man sagen, diplomatisches Ge-schick e, kannst e gut e reden, verstehst du, was ich meine?"

Hannes verstand und das war der Deal: Wenn er mit seinem diplomatischen, kreativen Hirn dem Nashorn helfen würde, dessen Sohn zu zähmen, würde es einen ganzen Suchtrupp en-gagieren, der nach einem weißen Schaf namens Harald Aus-schau hielte. Wenn er den Sohn nicht zähmen würde – nun, eine Ausstiegsklausel gab es wohl nicht.

„Viel Glück", sagte ein schwarzes Schaf aus dem Hinter-grund.

Frederic-Luca

F rederic-Lucaaaa", rief Locco das Nashorn. „Wo bis e du?
Was mach e du e auf diese Auto?!", ergänzte er dann überrascht, denn der Sohnemann ruhte sich auf einem Mittel-
klasse-SUV aus und würdigte seinen Vater keines Blickes.

„Das ist wieder mal typisch für dich", entgegnete der kleine,
aber dicke Frederic-Luca mit geschlossenen Augen, von oben
herab. „Aufgrund deines anhaltenden Minderwertigkeitskom-
plexes, den du noch dazu auf mich überträgst, fragst du dich bei
allem, was ich tue, ob es deinen oder meinen Status gefährden
könnte, ob es peinlich, richtig oder falsch ist. Du zweifelst an allem. Du bist ein ganz erbärmlicher Zweifler. Das bin ich nicht.
Ich bin ein entschlossenes und selbstbewusstes junges Nashorn.
Ich weiß genau, was ich will, nämlich mich ausruhen auf diesem
angenehm von der Sonne aufgeheizten Wagen."

„VERSTESTE DU, WARUM ICH WERDE WAHNSINNIG
MIT DIESE JUNGE?", brüllte das Nashorn Hannes und Rico an.
Es ergänzte in etwas dezenterem Ton: „Ich habe diese Sache
schon sig Mal mit Frederic-Luca besprochen, aber er will e nicht
verstähe. Er denke immer nur an seine eigene Vorteil, was mich
macht ganz verruckt!"

Hannes bat Locco um eine Denkpause und versuchte, sich mit
Rico abzusprechen.

„Ich würde diesen kleinen Racker einfach windelweich prügeln!", raunte Rico ihm zu.

„Ja, aber das kannst du wahrscheinlich vergessen bei diesem
Erziehungsstil – der Junge wird mit Samthandschuhen ange-
fasst, wahrscheinlich, weil es die Mutter so will. So kommen wir
niemals weiter. Der Junge gehorcht seinem Vater einfach nicht.
Wie soll ich das mit *diplomatischem Geschick* lösen?", zweifelte
Hannes.

„Wir sind so was von tot. Wir werden von französischen Nashörnern getötet werden, ich kann es nicht glauben. Wegen einem Jungen, der Frederic-Luca heißt", hörte Rico sich selbst reden.

„Wir müssen zusammenhalten", versuchte Hannes es auf konstruktive Weise. „Vielleicht hat Rudi eine Idee – wo ist der eigentlich?"

Von Rudi war weit und breit nichts zu sehen. Er hatte sich wohl aus dem Staub gemacht.

„Ich weiß, was wir tun", flüsterte Rico verschwörerisch. „Dieses Nashorn hat ein Erziehungsproblem. Wir können es nicht mit Gewalt lösen. Aber mit Frankreich. Die französische Art wird uns weiterhelfen!"

„O Mann, Jean-Pierre", seufzte Hannes. „Was soll das denn werden? Das hat doch bisher auch nicht wirklich funktioniert. Oder sind wir nicht auch mit französischer Diplomatie in Alis Hotel von Nashörnern eingesperrt worden? Das sind einfach grobe Tiere. Die kennen keine Diplomatie!"

„Das ist ein Unterschied", sagte Rico. „Dieses Nashorn *glaubt* an Diplomatie – sonst hätte es seinen Sohn schon längst selbst verprügelt. Wir müssen einen Weg finden, an den dieses riesige Nashorn glauben kann." Nun war er sich seiner Sache sicher. Er konnte fühlen, dass er auf dem richtigen Weg war. Er wandte sich direkt an das Nashorn, bevor er seine Idee noch vergaß, denn der Gedanke war für Rico so herausfordernd, dass er Kopfschmerzen davon bekam.

„Ich habe eine Frage an Sie, mein Lieber", fing er an und bemühte sich um einen einfühlsamen Tonfall. „Was würden Sie sich von Ihrem Sohn wünschen?" Sie standen mittlerweile etwas abseits, damit der kleine Frederic-Luca nicht alles hören konnte.

„Was isse das e für eine blöde Frage? Dass diese unverschämte Kerl das macht, was e sein e Vater sagt!" Man merkte, wie die Wut schon wieder in dem großen Nashorn hochkochte.

„Ich kann Sie sehr gut verstehen", sagte Rico mit geduldigem Blick. „Aber Sie wünschen sich doch auch, dass Ihr Sohn nicht einfach nur das tut, was Sie sagen, denn dann würde er das ja auch in Zukunft tun. Er würde immer Sie fragen, wenn er etwas entscheiden müsste. Ist es nicht bewundernswert, dass Ihr Sohn so viel Selbstbewusstsein hat, einfach das zu tun, was er für richtig hält?"

„JA, ABER ISSE DOCH TOTAL BESCHEUERT DIESE SA-CHE! WENN FREMDE AUTOBESITZER KOMMT, DANN ISSE GROSSE PROBLEME, DES WAS ICH DANN WIEDER LÖSEN MUSS E." Der aufkochende Ärger des Nashornvaters war un-überhörbar.

„Genau das meine ich doch", sprach Rico geduldig auf Locco ein. „Sie müssen gar nichts lösen. Wir sorgen dafür, dass der Autobesitzer jetzt gleich kommt. Wir erteilen Ihrem Sohn eine Lektion und lassen Sie obendrein noch als Held dastehen. Wir organisieren einen böswilligen Krokodilstrupp, der sich als Autobesitzer ausgibt. Die jagen Ihrem Sohn einen ordentlichen Schrecken ein – nicht zu groß, aber auch nicht zu klein. Im richtigen Moment kommen Sie und verjagen die Krokodile. Dann erklären Sie Ihrem Sohn noch mal nachdrücklich, warum er sich nicht auf fremden SUVs ausruhen sollte."

Nun machte Locco eine lange Pause. Er war sichtlich beeindruckt von Ricos „französischer Diplomatie". „Das isse eine clevere Idee, kein e Wunder, dass e du so große Erfolge hast e mit diese Sache mit diese blinkende Brandenburge Tore. Wir e mache das e so, aber wehe, es geht e schief, dann ich werde sehr böse werden!"

Sechs stämmige Krokodile

Es dauerte nicht lange, da hatten Rico und Hannes Amir kontaktiert und der kam wie immer vor Selbstbewusstsein strotzend, aber dieses Mal auch mit tatkräftiger Unterstützung um die Ecke.

Sechs stämmige Krokodile und sogar noch ein Nashorn on top stolzierten hoch erhobenen Hauptes hinter ihm her. Sie schienen bestens vorbereitet zu sein und nach dem abgemachten Plan vorzugehen.

„Isch glaub', isch werde krass oder was, was machst du Spasti auf mein krassen Auto?!", krächzte Amir los, der heute eine dicke Goldkette um seinen Hals trug.

Frederic-Luca öffnete nur ein Auge, um sich einen Überblick zu verschaffen. Von Papa gab es weit und breit keine Spur. Das veranlasste ihn, gemächlich auch das zweite Auge zu öffnen. Von einem Moment zum anderen fuhr ihm der Schreck in die Glieder, als er die Entourage sah, die Amir, der vermeintliche Autobesitzer, mitgebracht hatte.

„Ich, ähm, ich war hier nur kurz in der Sonne", erwiderte er kleinlaut.

„Alter, geht's noch?!", schnauzte ihn Amir unbeeindruckt an. „Leute, macht dieses kleine, fette, respektlose Nashorn platt und verteilt die Überreste im Görlitzer Park!"

Entschlossen stampften die Krokodile näher, rissen den „kleinen" Frederic-Luca von seinem Thron beziehungsweise Auto und schleuderten ihn auf den Boden.

Nun kam, wie abgesprochen und in bühnenreifer Manier, Locco um die Ecke, erschrak – etwas schlecht gespielt – und schrie: „WAS E DU MACHE MIT E MEINE SON?!"

Amir entgegnete: „Häh, Alter, was meinst du mit ‚Son'?"

„NA, MEINE SON, DER NASHORN, DES WAS E MEINE SON IS."

„Ach so, dein Sohn." Er ging provozierend einige Schritte auf das Nashorn zu. „Den mache isch grade PLATT."

Jetzt packte der Nashornvater ordentlich zu, riss Amir in die Luft und schleuderte ihn über sämtliche parkenden Autos hinweg. Amir schrie laut und riss sich im Flug dramatisch eine Feder vom Leib, die er, nachdem er sanft hinter einem parkenden Auto gelandet war, noch mal in die Luft warf, um allen vorzuführen, wie unsanft seine Landung gewesen sein muss.

Es funktionierte. Staunend sah Frederic-Luca zu, wie sein heldenhafter Vater ihn verteidigte. Ein Krokodil nach dem anderen flog über parkende Autos, ins Gebüsch oder wahlweise auf den Fahrradweg, wo sich dann wiederum ankommende Fahrradfahrer mit lautem Klingeln darüber beschwerten, dass diese den Fahrradweg blockieren würden.

Schließlich lagen alle „Feinde" im gesamten Umfeld verteilt und jammerten extra laut, als wären sie gerade wirklich kräftig verprügelt worden.

Nun kam der heroische Moment, den Rico und Hannes dem cholerischen Nashorn aufgeschwatzt hatten. Er ging auf seinen Sohn zu, doch bevor er ihn umarmte, zog er ihn einmal richtig an den Ohren. Der kleine Frederic-Luca heulte nun endgültig wie ein Schlosshund und sein Vater konnte ihn endlich belehren: „HABE ICH DIR NICHT E GESAGT E, DASS E DU RUNTERKOMMEN SOLLS VON DIE AUTO? WARUM DU NIEMALS HÖREN AUF DEINE BESORGTE VATER?" Er fügte tröstend hinzu: „Nächste Mal vielleicht komme drei Dinosaurier oder swansig Nilpferde – dann nicht mal deine Papa kann e dich e verteidigen."

Es schien zu funktionieren. Frederic-Luca hielt tatsächlich seine Klappe und zeigte zum ersten Mal so etwas wie Demut und Respekt. Er schniefte ein wenig und trottete nun gehorsam seinem Vater hinterher. Rico und Hannes gaben sich unbemerkt einen High Five. Nun war ihnen die Unterstützung der Nashorn-Gang bei der Suche nach Harald sicher. Oder sollten sie vielleicht direkt nach einem Rehlein fragen? Nein! Dieses Mal sollte Rico seine Freunde nicht vergessen. Dieses Mal wollte er zuerst an die anderen denken und dann an seinen Plan. Diesem Plan kam er nun immer näher.

Gerade als sich Vater und Sohn entfernen wollten, durchkreuzte allerdings jemand ihre Pläne. Da stand Rudi, der Kater, oder besser gesagt Ali, mit einer Armee von fünfunddreißig Nashörnern. Er wusste natürlich nichts von Ricos und Hannes' diplomatischem Geschick und baute sich direkt vor Locco und seinem Sohn auf.

Französische Diplomatie

H aaaaalt! STOPP!", schrie Rico Alis Mannschaft entgegen. „Es wird hier keinen Kampf geben. Wir haben alles geklärt, und zwar mit französischer Diplomatie!"
„Französische Diplomatie?", wunderte sich eines der Nashörner.

„WAS ISSE DIESE MIST HIER UND WAS E DU MEINEN MIT E DIE FRANZÖSISCHE DIPLOMATIE?!", schrie Locco wütend, denn er hatte sich mittlerweile umgedreht und war sofort zornig geworden beim Anblick von Alis Schlägertrupp.

Rico versuchte, gelassen zu bleiben. Es war ein Wunder, dass er einmal der Vernünftige sein sollte inmitten cholerischer Raufbolde. „Es gab ein Problem. Wir haben es gelöst und niemand muss sich prügeln", gab er stoisch von sich. „Rudi, wir gehen jetzt einfach." Aber Rudi war gar nicht in der Stimmung, einfach unverrichteter Dinge wieder abzuziehen.

„Lass mich mal kurz nachrechnen, Jean-Pierre. Wir sind sechsunddreißig, die sind gerade mal drei. Plus ein dickes, kleines Nashorn, das man kaum dazuzählen kann. Ach ja, und die sechs Krokodile gehören ja auch noch zu uns. Hey, Amir, gut gemacht!", rief er den Krokodilen zu, bei denen Amir stand und ihm verschwörerisch zunickte. Der ganze Schwindel mit dem inszenierten Autobesitzer und den sechs Krokodilen war kurz davor aufzufliegen.

Ricos Kopf fing an zu glühen und Stress machte sich in seinem Körper breit. Die Situation überforderte ihn.

Da sprang Hannes ihm, wie so oft, zu Hilfe. „Rudi, hast du Harald schon vergessen?", flüsterte er ihm zu. „Diese Typen da werden uns helfen, ihn zu finden. Sie haben es versprochen! Also lass uns mal dieses Macho-Getue einstellen und nach ihm suchen!"

Rudi überlegte einen Moment. Freundschaft war ihm persönlich wichtig. Er wusste, wie bedeutend gute Beziehungen im

Viertel waren. Vielleicht hatte Harald ja ebenfalls einige Freunde und er könnte davon profitieren? „Und das ist kein Trick?", fragte er zögerlich.

„Nein, kein Trick, garantiert nicht. Jean-Pierre und ich verbürgen uns dafür."

Rudi nickte und gab seinem Trupp ein Zeichen, sich zu entfernen. Nun lag die ganze Hoffnung auf dem cholerischen Nashorn Locco und seinen schwarzen Schafen. Hatte der kleine Zwischenfall das Vertrauen zerstört? Hoffentlich nicht.

Durch den Rückzug von Alis Schlägern konnte Rico die Lage beruhigen. Locco hatte keinen Verdacht geschöpft, schließlich gab es in diesem Milieu ständig Reibereien. Daher gab unser cholerisches Nashorn seinen schwarzen Schafen den Befehl, die Suche nach Harald zu unterstützen.

Überraschenderweise dauerte es nicht mal eine Stunde, bis es einen vielversprechenden Tipp von einem Kiezbewohner gab. „Da sitzt ein weißes Schaf in einem Café nicht weit weg von hier in Friedrichshain. Der Name lautet *Veggie-Wahn*, Finowstraße 33."

Rico hielt kurz inne. „Sagt mal, könntet ihr nicht auch noch ausschwärmen und nach einem Rehlein suchen? Also, ein Rehlein, das Französisch spricht und das –"

Er wurde unterbrochen. „Alter! Sehen wir aus wie Rehe? Du hast sie ja nicht mehr alle!", brüskierten sich die schwarzen Schafe wie aus einem Mund.

Rico ließ es enttäuscht dabei bewenden. Er musste geduldig sein. Er brauchte seine Freunde. Ohne sie ging nichts. Es bestärkte in ihm das Gefühl, dass er es nur mit ihnen gemeinsam schaffen würde.

Sie fanden das Café relativ schnell. Es befand sich in einem alten, etwas heruntergekommenen Haus. Die Wände zierten Blümchentapeten aus den 70ern. Alte Lampenschirme und ein antikes Klavier standen herum. Als sie eintraten, fühlte es sich ein wenig an, als kämen sie in eine fremde Welt. So schön leise, still und ruhig. Und da saß er. Harald! Er hatte die Augen geschlossen und träumte vor sich hin, direkt an der Bar des Cafés.

„Haraaaaaaald", rief Rico voller Freude fast gleichzeitig mit Hannes und Rudi.

Der Angesprochene riss die Augen auf und konnte kaum glauben, dass da seine Freunde vor ihm standen. „Äh, Jean-Pierre, Hannes, Rudi? Ihr?" Harald wusste gar nicht, wie ihm geschah, und irgendwie fühlte es sich auch gar nicht real an, aber nacheinander kamen seine Freunde zu ihm und drückten ihn ganz heftig.

Rico hörte nicht auf, von Frankreich zu reden und von einem Rehlein, das er unbedingt wiederfinden müsse, während Rudi von seinem Firmenimperium erzählte und wie er fast ganz Neukölln durch sein Katzenkuschelhotel kontrollierte. Zwischendurch fielen Harald fast die Augen zu, denn er selbst hatte nur noch eines im Sinn: frisches, flüssiges Gras namens Matcha!

Rico wusste noch nicht, dass ihm dies ein ganz neues Kapitel in seinem französisch-berlinerischen Abenteuer eröffnen würde.

Vegane Kommune

Rico schmeckte Matcha nicht besonders gut, aber er hatte das Gefühl, dass es sich hier um eine ganz und gar interessante Welt handelte, in die er gerne eintauchen würde, auch wenn ihm dieses „flüssige Gras" nicht besonders zusagte.

Harald lebte in einem etwas heruntergekommenen Haus gleich gegenüber dem Café und stellte ihnen seinen neuen Wohnort mit Begeisterung vor. Er lebte in einer sogenannten „Kommune". Rudi war zwar bereits wieder auf dem Weg nach Neukölln, da er sich dringend um Geschäfte kümmern musste, aber Hannes und Rico freuten sich, Haralds Freunde kennenzulernen.

„Darf ich vorstellen?", sagte das Schaf stolz und deutete auf eine Runde Hühner. „Das sind Claire-Marta, Felipe Cortez Garcia Marquez, Anne-Marie Klein-Dornreitner und Dörte van der Staat. Unser internationales Team an Verfechtern für" – er machte eine kleine Pause und fuhr dann entschlossen fort – „für frisches Gras."

Anne-Marie Klein-Dornreitner wollte dies offensichtlich ergänzen, denn ein enorm langatmiger und umständlicher Satz schien geradezu aus ihr hinausdrängen zu wollen. „Unsere Kommune ist eine vegan-anarchistisch-feministisch-autonom-multikulturelle Umweltbewegung, die frisches Gras beziehungsweise, etwas detaillierter erklärt, eine funktionierende Umwelt und ein nachhaltig-konsequentes Null-Energie- oder einfach gesagt ‚Zero CO2'-Leben nicht nur propagiert, sondern auch offensiv mit dezentralen Aktionen unterstützt. Ich –"

„Puhhhh!" Rico atmete hörbar aus, denn er verstand kein Wort und wusste gar nicht, wie er sich verhalten sollte. Ein aufkommendes Gefühl von enormer Unterlegenheit erzeugte in ihm einen sehr nervösen Zustand.

„Was Anne-Marie Klein-Dornreitner sagen möchte", beschwichtigte Claire-Marta, denn sie merkte, dass dies für Rico zu viel Theorie war, „ist, dass wir in Kooperation mit unserem Mentor und Mäzen Jean-Marie LeGréte, Professor an der Humboldt-Universität im Bereich Umweltschutz und Nachhaltigkeit, ein Team von Aktivist*innen bilden, die nicht nur über die Umweltwende sprechen, sondern auch aktiv etwas dafür tun." Was sie nicht sagte: Sie war manchmal etwas genervt von den langatmigen Sätzen der Anne-Marie Klein-Dornreitner, die zu allem Überfluss auch noch darauf bestand, dass jeder ihren vollständigen Vor- und Nachnamen aussprach, wenn er sie erwähnte.

Ricos Augenbrauen zuckten, als er den Namen „Jean-Marie LeGréte" und das Wort „Professor" in einem Satz hörte.

Hannes erkannte Ricos Anspannung und flüsterte: „Nur ruhig bleiben, dieser Professor, der ist deine Chance, diese Franzosen richtig zu verstehen und noch mehr von ihnen zu lernen. Keine Angst vor großen Namen."

Rico musste etwas sagen, denn da er so groß und auffallend war, blickten alle auf ihn, als wäre er der einzige Vertreter der neuen Gäste. „Ich, äh, mein Name ist Jean-Pierre Gargouille und wir sind auch Dings, ähm, also Aktivisten aus dem Süden gegen … gegen … also für die … dass man die Arbeit und … aber auch Fairness, also, wir sind für Fairness. Also praktisch in Bezug auf Hotels." Er beobachtete wachsende Fragezeichen in den Gesichtern seiner Zuhörer und stopselte weiter: „Also, in den Hotels, aber auch wegen der Umwelt."

„Ja, und was macht ihr denn jetzt konkret?", fragte Felipe Cortez Garcia Marquez, der ebenfalls grundsätzlich auf der Aussprache seines kompletten Namens bestand.

Hannes sprang ein. „Also, Jean-Pierre meint, wir sind in einem ganz ähnlichen Umfeld unterwegs und würden gerne mehr über euch erfahren."

„Ui, das ist toll!" Dörte van der Staat schien ganz begeistert zu sein. „Bleibt doch eine Weile. Dieses Haus ist eh besetzt, ihr müsst hier nichts zahlen, für alles ist gesorgt. Unser Professor versorgt uns immer wieder mit kleinen Jobs wie Umfragen

durchführen oder Statistiken erstellen, das reicht, um hier aus-
zukommen und ein klimaneutrales, veganes Leben zu führen.
Klingt das nicht super?!"

Rico nickte nur. Er musste hier mitmachen. Das klang einfach
zu französisch, um sich raushalten zu können. „Wir sind bereits
geübt in französischen Revolutionen, wir sind dabei!", sagte er
entschlossen.

„Französische Revolutionen?", sagte Claire-Marta. „Das
klingt ja enorm gut!" Sie flüsterte ihren Freunden etwas zu und
Hannes und Rico spitzten aufmerksam die Ohren.

„Mit so einem Gorilla könnten wir von unserem läppischen
Aktionismus tatsächlich zu echtem Widerstand kommen. Das
könnte der Beginn einer echten Klimarevolution in Berlin sein!",
glaubten Hannes und Rico gehört zu haben.

Vorbereitung der Revolution

D ie Vorbereitung einer echten Umweltrevolution benötigt Zeit. Außerdem muss man sehr entschlossen sein, wissen, wer Feind und wer Freund ist. Potenziell hat man die ganze Welt gegen sich. Die Politiker, die Weltkonzerne, die Faschisten, die Kommunisten – ein klares Feindbild hilft, denn dann kann man mit dezentralen Aktionen besser für Verwirrung sorgen.

Rico und Hannes verbrachten praktisch jede Minute ihrer Freizeit damit, sich mit Revolutionen und anstrengenden, langwierigen Diskussionen auseinanderzusetzen – beziehungsweise dabei zuzuhören.

Anne-Marie Klein-Dornreitner dagegen widmete sich eher dem Reden – denn Zuhören war eine Sache, die sie weniger gerne tat –, praktisch ununterbrochen, ohne Punkt und Komma. Eines wurde Rico dabei klar: Für die Umweltaktivisten im besetzten Haus war die Welt deutlich in zwei Hälften unterteilt. Auf der einen Seite standen diejenigen, die die Umwelt zerstörten, und auf der anderen Seite diejenigen, die sie retten wollten.

Manchmal hatte Rico ein schlechtes Gewissen, wenn Harald wieder ganz begeistert über frisches Gras redete und Claire-Marta daraufhin die Wichtigkeit von veganer Ernährung betonte, um dabei jedes Mal kritisch in Richtung Rico zu gucken. Nur, weil er ein Gorilla war! Die paar Insekten, die er ab und zu vertilgte, waren doch wirklich kein Grund, etwas gegen ihn haben zu wollen! Er ließ sie böse gucken und versuchte, keiner Fliege etwas zuleide zu tun, während er sich in der Kommune aufhielt. Das ganze Haus war von so viel Bildung und Eloquenz erfüllt, dass Rico oft höchst eingeschüchtert mit enormen Minderwertigkeitskomplexen und schlechtem Gewissen in einer Ecke saß und versuchte, sich die wichtigsten Stichpunkte zu merken.

„Wer ist gegen uns und wer ist für uns – das ist die alles entscheidende Frage", sagte Anne-Marie Klein-Dornreitner. Sie sagte sogar noch einiges mehr, aber wir können ihren Redeschwall an dieser Stelle nicht ungekürzt wiedergeben, um den Rahmen dieses Kapitels nicht zu sprengen.

„Die Frage ist also", fuhr sie fort, „wo leben diese Kretins, die die Umwelt zerstören, die sich nicht um ihre Mitbürger*innen scheren, ja die den Untergang dieses Planeten zu verantworten haben?"

„Jean-Pierre, was denkst du?", fragten die Umweltaktivisten und sahen ihn mit großen Augen an. Sie wollten langsam mal etwas mehr von ihm hören, denn bisher hatte er sie mit seinem Gestammel nicht besonders überzeugen können.

„Also, ähm", rang Rico um die richtigen Worte, „wir haben bisher allerhand Chaoten getroffen. In Hohenschönhausen wollten sich einige Leute mit schwarz gekleideten Kapuzenpulliträgern aus der Innenstadt prügeln. Die wollten uns tatsächlich dazu überreden, einige dieser Leute, die sie ‚rich kids' nannten, einzufangen. Diese Art der Gewalt haben wir entschieden abgelehnt, wir sind ja nicht deren Schlägertrupp und –"

„Das ist es!", unterbrach ihn Dörte van der Staat triumphierend. „Dieses bourgeoise Pack aus den Vorstädten wie zum Beispiel Hohenschönhausen mit seinen umweltvergiftenden SUVs – diese Ausgeburten der Hölle vernichten unseren Planeten!"

Kurzerhand wurden alle Vororte und Stadtteile, die fest in der Hand des Automobils lagen, zum Feindbild erklärt. Systematisch sollten die umweltvergiftenden Benzinschleudern angezündet werden, um den ungebildeten, reaktionären Bevölkerungsteilen klarzumachen, was die Umweltbewegung von ihnen hielt. Rico sollte natürlich ganz vorne mit dabei sein.

„Du musst vorneweg gehen, Jean-Pierre", gackerte Felipe Cortez Garcia Marquez auf Rico ein. „Du musst das verstehen, wir sind alle viel kleiner und schwächer als du, nicht jedem ist es gegeben, so ein muskulöser, öhm, Apparat zu sein."

Rico seufzte. Er hatte das Gefühl, sich im Kreis zu drehen. War er auf der richtigen Seite? Wieso musste jeder irgendein Feindbild haben und wieso glaubte jeder, er könnte dem anderen sagen, was zu tun war? In welche Revolution war er nun schon wieder geraten? Wer glaubten diese eingebildeten Umweltaktivisten-Hühner eigentlich, wer sie waren?

Sie waren zwar wirklich gewieft und schienen auch etwas von der Materie zu verstehen, aber war es denn wirklich die einzige, unvermeidliche Lösung, einen Verantwortlichen zu identifizieren und zum Feindbild zu erheben? Selbst wenn man eindeutig einen Schuldigen ausmachen könnte - war es wirklich nötig und zielführend, diesen sofort fertigzumachen?

„Hannes, hast du gerade auch so ein Déjà-vu? Die wievielte Revolutionstruppe ist das denn nun, der wir uns mittlerweile anschließen?", fragte Rico frustriert.

Hannes machte eine lange Denkpause. „Jean-Pierre, ich glaube, ich weiß langsam, was du damals mit deinem Satz gemeint hast. Weißt du noch? Der Satz, den du im Flugzeug gesagt hast, den wir beide nicht mehr zusammenbekommen hatten vor lauter Panik."

„Ich kann mich, ehrlich gesagt, kaum noch daran erinnern", murmelte Rico etwas bedrückt.

„Ich aber schon und ich glaube, ich weiß jetzt auch, wo das Problem bei unserer Reise liegt und warum wir dein Rehlein nicht finden."

Ricos Plan

D u hast dich beschwert!" Hannes versuchte aufgeregt, Ricos Gedächtnis einen Schubs zu verpassen.

„Habe ich nicht, ich kann mich überhaupt nicht an irgend so einen doofen Satz erinnern, den ich angeblich von mir gegeben habe."

„Doch, doch! Du hast gesagt: Manchmal habe ich das Gefühl, keine Chance zu haben, alles zu verstehen. Es gibt Leute, zu denen ich aufsehe, aber sie sehen nur auf mich herab. Und dann gibt es wieder Leute, die zu mir aufsehen könnten, aber die wollen es überhaupt nicht und lachen nur über mich."

„Kann ich mich aber nicht mehr dran erinnern!"

„Aber ich und ich behaupte, dass ich weiß, was du damit in diesem Moment der Erleuchtung gemeint hast!"

„Moment der Erleuchtung" klang irgendwie nach Kompliment, deswegen war Rico dann doch neugierig.

„Also, du meintest damit, dass du zu Leuten, die dir überlegen sind, aufsiehst und sie dir als Vorbild nimmst. Personen, die mehr wissen oder etwas besser können als du. Aber du hast das Gefühl, dass diese Leute wiederum nur auf dich herabsehen, dich gar nichts von ihnen lernen *lassen*. Also, kurz gesagt: Diese Leute sind interessant für dich, aber du nicht für sie. Und das lassen sie dich spüren! Diejenigen aber, die durch dich wachsen könnten, lachen nur über dich, anstelle etwas lernen zu wollen. Obwohl du nicht auf sie herabschaust. Na ja, okay, vielleicht ein wenig."

Rico war sich nicht sicher, ob das wirklich das war, was er damals gemeint hatte, aber so, wie es Hannes formuliert hatte, machte es schon Sinn. Umso schlimmer, denn das würde bedeuten, dass er auch nicht anders war als dieser Doktor Gockel. Aber ja, es sprach ihm aus der Seele. Genau das war seine Angst. Dass man auf ihn herabsah und ihn verlachte, so wie eben zum Beispiel Doktor Gockel, den er eigentlich bewundert hatte, weil er so belesen war. Der sogar fast einmal einen Literaturnobelpreis erhalten hatte. Aber dieser arrogante Hahn hatte sich nur über Rico aufgeregt und auf ihn herabgesehen.

„Wie kommst du denn ausgerechnet jetzt darauf?", fragte Rico.

„Na, weil wir doch immer das Gleiche durchmachen! Wir landen immer wieder in irgendeiner Gruppe, die eine andere Gruppe nicht gut findet, und dann sollen wir uns, oder besser gesagt du dich, für sie prügeln, weil du für sie ein nützliches Werkzeug bist. Für sie bist du nur ein dummer Gorilla. Egal, ob sie damit recht haben oder nicht! Für die bist du zwar doof, aber stark und damit brauchbar. Mehr sehen sie nicht in dir und blicken deshalb auf dich herab!"

Das traf Rico. Glaubten die Umweltaktivisten wirklich, er wäre dumm? Was für eine Frage. Natürlich glaubten sie das. Sie hatten doch schon längst mitbekommen, dass Rico gar keine Ahnung von ihren Themen hatte. Und sie hatten sich doch gar nicht wirklich für seine Meinung interessiert! Letztendlich hatten sie wieder einmal nur im Kopf, dass Rico für sie kämpfen könnte. Weil er ein Gorilla war. Und weil man so etwas eben von Gorillas denkt.

„Also, Hannes, ich weiß nicht so recht. Ich meine, ja, du hast recht. Wie immer", fügte er genervt hinzu. „Aber jetzt? Soll ich etwa die Umweltaktivisten verprügeln, weil sie mich nur benutzen wollen? Immerhin klingt ihre Sache doch zumindest nach etwas, das Sinn macht. Wenigstens sind sie nicht so egoistisch wie es dieses verdammte Eichhörnchen George war. Sie setzen sich wenigstens für eine gute Sache ein. Soll ich sie einfach nur, weil ich beleidigt werde, verprügeln und –"

„Nein!", unterbrach Hannes. „Jean-Pierre!" Hannes wurde richtig energisch, denn er hatte das Gefühl, endlich den Knackpunkt gefunden zu haben. „Du musst an deine französische Art denken! So, wie du es mit den Nashörnern gemacht hast! Da muss es doch eine *französische* Art geben, wie du immer sagst, die diesen Leuten klarmacht, dass sie so mit dir nicht umgehen können! Und dass man so was allgemein nicht machen sollte. Herabschauen auf andere!"

Rico dachte nach. Er verstand, was Hannes meinte. Alle diese Gruppen dachten nur in Einbahnstraßen. Sie waren blind wie Maulwürfe. Alle hatten irgendeinen Feind, den sie bekriegten. Angestrengt nahm er einen Stift in die Hand, seine Stirn lag in Furchen und das erste Mal in seinem Leben machte er einen Plan. Er kritzelte feine Linien auf ein Stück Papier. Dieser Plan sollte aus ihm endgültig einen echten Franzosen machen.

Klischees

S ein Werk war weder besonders groß noch lang oder beeindruckend. Aber es war hilfreich. Rico hatte eine Tabelle gezeichnet, die ungefähr so aussah:

Wer?	Schaut auf wen herab?	Schaut zu wem auf?
Schwarze Kapuzenträger vom Alexanderplatz	„Spießer" aus Hohenschönhausen	Die große Revolution, starke Anführer
Wildschweine Hohenschönhausen	Schwarze Kapuzenträger, Chaoten, „Rich Kids" aus der Innenstadt	Das „wahre Berlin"
Umweltaktivisten	Alle Tiere in den Vororten wie z. B. Hohenschönhausen	Professor Jean-Marie LeGréte

Er war stolz auf sein Werk. „Was meinst du, Hannes?"

„Na ja, also, Jean-Pierre, ich finde, das hast du schon, also … echt prima gemacht", sagte Hannes unsicher, denn er wusste nicht viel mit Ricos Tabelle anzufangen.

„Hmm …", überlegte Rico laut. „Also, ich denke schon, dass wir diese ganzen Verrückten einmal zusammenbringen sollten. Die müssen sich kennenlernen. Die haben doch alle irgendwie mit jedem ein Problem. Wenn die Umweltaktivisten wüssten, dass ich zum Beispiel ab und zu mal ein Insekt esse! Außerdem liegen sie falsch. Diese Wildschweine zum Beispiel – die waren doch aus Hohenschönhausen! Aber die fahren überhaupt keine

SUVs! Und ich wüsste auch nicht, was an ihnen besonders spie-ßig gewesen wäre."

Hannes ging ein Licht auf. „Stimmt! Jetzt weiß ich, was du meinst. Wir müssen den Leuten nicht nur vor Augen halten, dass sie nicht immer recht haben, wir müssen es ihnen ermöglichen, sich kennenzulernen. Jetzt, wo wir so viele Leute hier in Berlin kennen. Vielleicht liegt es auch daran, dass wir von außerhalb kommen und die Dinge besser sehen können. Nicht alle Katzen sind schlecht! Nicht jeder Hahn arrogant! Und so ist es auch mit den Schweinen! Genial, Jean-Pierre, genial!"

„Aber erst mal lassen wir ihnen ihren Glauben. Wir erzählen ihnen nichts über diese Leute, wir wussten ja auch nichts über sie. Dann sind sie höchst überrascht, wenn sie merken, dass sie vollkommen falschlagen! Und kurz bevor sie sich dann trotzdem anfangen zu prügeln, weil sie es nicht glauben können, halten wir ihnen einen Vortrag über das, was wir hier in Berlin gelernt haben", verkündete Rico stolz.

„Das wird dich endgültig zu einem echten Franzosen ma-chen, stark wie ein Mammutbaum", fügte Hannes motivierend hinzu.

„Richtig, und dann überzeugen wir auch Harald davon, die-sen Unsinn zu lassen und mit uns gemeinsam nach Peter zu su-chen, und dann – dann finden wir endlich mein Rehlein!"

„Ach, du und dein Rehlein!" Hannes war langsam etwas ge-nervt. „Es geht immer nur um dein Rehlein. Es geht immer nur um deine Ziele. Um dein Frankreich. Was ist denn mit den an-deren?"

Rico war etwas überrumpelt. Aber er wurde nicht wütend. Wie so oft, wenn Hannes etwas sagte, war er im Recht. Was könnte er den anderen bieten? Mussten sie immer nur seinen Wünschen nachlaufen?

„Es tut mir leid, wenn das so rübergekommen ist, Hannes. Ich verspreche dir hoch und heilig, dass ich euch auch helfen werde.

Harald soll sein frisches Gras bekommen. Rudi helfen wir in seinem Katzenhotel als Concierges, Peter hat zwar auf nichts Bock, aber wir werden noch etwas finden, das ihm Spaß macht. Und du – ja, also dir werde ich natürlich auch helfen, zu wachsen wie ein Mammutbaum!", versuchte sich Rico poetisch.

Hannes dachte lange nach. Sehr lange. Denn das Bild eines Mammutbaums ließ ihn nicht los. Damals in seinem Magic-Popcorn-Traum war genau dieser Baum vorgekommen, aber Hannes hatte niemandem davon erzählt. Nur eines wusste er: Er musste Rico jetzt helfen, denn das würde ihm ermöglichen, das größte Kunstwerk seines Lebens zu erschaffen. Aber noch konnte er nicht darüber sprechen.

Verbündete

V erbündete?", sagte Felipe Cortez Garcia Marquez. „Wir wollten doch nur ein paar SUVs anzünden. Du klingst ja, also ob du die ganze Welt erobern möchtest."
„Think BIG!", gackerte Anne-Marie Klein-Dornreitner. „Der Gorilla zieht es durch!" Als hätte sie sich selbst dabei ertappt, über die Stränge geschlagen zu haben, korrigierte sie sich: „Ähm, entschuldige, ich meine natürlich, der Jean-Pierre Gargouille. Ich wollte nicht despektierlich klingen." Und das erste Mal sah Jean-Pierre die ansonsten sehr anstrengende Person lächeln, wobei es ungemein unnatürlich und gekünstelt aussah.

„Wer könnten denn die Leute sein, die sich ebenfalls eine Umweltrevolution herbeiwünschen? Wir haben ja selbst Kontakt zu einigen Aktionsgruppen, aber die sind leider nicht so radikal, dass sie sich für einen Straßenkrieg hergeben würden. Ich meine, Kollateralschäden sind bei einer Revolution nie zu vermeiden, aber ich denke, wir sollten zumindest die Meinung des Professors einholen", gab Claire-Marta zu bedenken.

„Vielleicht können Sie ja den Professor mal mit einer eigenen Idee überraschen", entgegnete Rico und traf völlig unbewusst einen wunden Punkt der Gruppe. Denn die fühlte sich sowieso viel zu stark gebremst und kontrolliert durch den Akademiker. Sie hatten eigentlich den Anspruch an sich selbst gestellt, eigene Ideen zu entwickeln und umzusetzen – stattdessen richteten sie sich nach den Anweisungen von Jean-Marie LeGréte, der ihnen meistens viel zu zurückhaltend und nicht konsequent genug war. Schließlich ging es hier um den Planeten!

Sie machten eine lange Pause und schauten sich gegenseitig verschwörerisch an. Ein leichtes Nicken ging durch die Runde. Man war offen für Vorschläge und Rico war gut vorbereitet. Er präsentierte seine Idee, die schwarzen Kapuzenpulliträger, die sich regelmäßig am Alexanderplatz trafen, auf ihre Seite zu ziehen. Hohenschönhausen würde brennen!

Die Begeisterung der Anwesenden ließ sich kaum in Worte fassen. Die Augen waren groß, denn man hatte das Gefühl, etwas Besonderes vollbringen zu können. Endlich würde etwas für eine echte Revolution getan werden und alle sahen sich in ihrem Denken bestätigt. Der Gorilla – der war richtig radikal und gefährlich. Manchmal musste man eben einen Pakt mit dem Bösen schließen, um seine Ziele zu erreichen. Doch Rico war viel französischer, als sie dachten.

Gleichzeitig war Hannes unterwegs nach Neukölln, um Rudi in die Pläne einzuweihen, denn sie hatten vereinbart, auch die verrückten Wildschweine in Hohenschönhausen zu warnen. Sie sollten genug Zeit haben, sich vorzubereiten, damit auch wirklich alle dabei waren, wenn Rico und Hannes ihren großen Mammutbaumvortrag halten würden. Ein paar starke Nashörner sollten sich nach Hohenschönhausen wagen, um die Wildschweine zu informieren. Rico hatte sich bereits die ersten Worte für seine Rede zurechtgelegt. So etwas Peinliches wie beim ersten Mal sollte ihm dieses Mal nicht mehr passieren. Er wollte nicht mehr nur irgendetwas Dämliches ins Mikrofon stottern. Nein! Dieses Mal sollte es eine bewegende Rede werden über Mammutbäume, Frankreich und französische Lösungen. Ganz am Ende wollte er dann eine französische Flagge hissen und über einen Lautsprecher sollte schließlich die französische Nationalhymne erklingen.

Sogar an Bello dachte Rico, er wollte ihn unter einem Vorwand mit dazu holen, damit er sah, wie man Konflikte auf französische Art löste. Er würde Zeuge sein, wie Rico mit der bloßen Macht der Worte Frieden stiftete, Seite an Seite mit Rudi. Dann würde Bello klar werden, dass nicht alle Katzen schlecht waren.

„Was für ein Kunstwerk", sagte Hannes begeistert, nachdem sie alles durchgesprochen hatten. Nur: Rico und Hannes hatten keine Ahnung, was sie hier in Wirklichkeit heraufbeschworen.

Durchführung der Revolution

Es dauerte mehrere Tage, wirklich alles im Detail vorzubereiten und alle Beteiligten zu informieren. Rudi und Amir waren ihnen eine große Hilfe. Rudi gab ihnen Urlaub und half ihnen, die Wildschweine zu informieren. Amir konnte Bello davon überzeugen, dass es in Hohenschönhausen ein Katzennest gab, gegen das eine Gruppe von Revolutionären vorgehen würde. Der leichtgläubige Bello ließ sich viel zu einfach davon überzeugen, seinem eigenen Wunschdenken zu folgen.

Sogar eine französische Flagge inklusive Bühne und Lautsprecheranlage hatte Rudi ihnen bei den Schwarzkapuzen besorgt, außerdem einen Transporter, der das ganze Team mitsamt Equipment an den Einsatzort bringen sollte. Den Schwarzkapuzen hatte man das damit erklärt, dass man so am Ende ein Statement zur Weltrevolution bringen könne. Dass Rico selbst auf der Bühne stehen wollte, behielt er aber für sich.

Nur Harald war die ganze Zeit skeptisch geblieben. Aber wenn eine Revolution frisches Gras für alle brächte, dann konnte er damit leben. Und wenn Rico sich unbedingt prügeln wollte – sein Ding.

Endlich war der Tag gekommen, alle waren aufgeregt. Sie waren gut ausgestattet: Benzinschläuche, Kanister, Feuerzeuge, Brechstangen, mehrere Megaphone – alles war organisiert.

Aber auch Rudi versprach sich einen Vorteil von der Aktion. Bei all dem Krawall würde sich einer Expansion von Alis Katzenhotels in den Osten der Stadt sicher keiner mehr in den Weg stellen. In den Trümmern würden sich bestimmt einige neue Straßenverkäufer für blinkende Brandenburger Tore rekrutieren lassen. Die Straße würde dann auch im Osten vom großen Ali aus Neukölln kontrolliert werden.

Es war fünf Uhr an einem Montagmorgen, als sie schließlich alle Vorbereitungen abgeschlossen hatten, mit dem gesamten Trupp in Hohenschönhausen ankamen und sich dort mit den

Kapuzenträgern trafen. Es waren mehr als hundert von ihnen gekommen. Für einen Moment fühlte es sich für Rico so an, als würde er eine kleine Armee leiten – ein verlockender Gedanke. Er verstand, was Rudi so sehr an seinem Job gefiel. Aber er schüttelte diese Gedanken ab. Heute war er ganz Franzose. Jean-Pierre Gargouille sollte heute einen *geistigen* Sieg davontragen. Das war das erklärte Ziel.

Pünktlich um fünf Uhr dreißig, als die ersten schwarz gekleideten Kapuzenträger die Benzinschläuche ausrollten und nach SUVs Ausschau hielten, aber keine fanden, tauchte eine Meute von Wildschweinen aus dem Nebel auf. Für einen Moment standen sich die beiden Gruppen direkt gegenüber.

Das war der Zeitpunkt für Ricos Rede, die alles auflösen und den unbegründeten Hass aufeinander endgültig begraben würde. Französische Moral und Ethik würden auch den Letzten davon überzeugen, dass sie nur durch geistiges Wachstum zu großen, französischen Persönlichkeiten werden könnten. Aber während er noch überlegte, passierte es viel zu schnell.

„Ihr Drecks-Innenstädter, ihr dämlichen SUV-Hipster, was wollt ihr hier? Geht zurück, wo auch immer ihr herkommt!", schleuderten die Wildschweine den Schwarzkapuzenträgern entgegen.

Anne-Marie Klein-Dornreitner ließ sich die Gelegenheit nicht entgehen, als Sprecherin der Protestierer vom Alexanderplatz aufzutreten. Die Vorwürfe der Gegenpartei völlig ignorierend, schrie sie in ein Megafon: „Ihr Umweltverpester*innen, wir werden eure SUVs heute in die Luft sprengen. SAVE THE PLANET!!!"

Schon gingen die beiden Gruppen aufeinander los, Stöcke krachten gegeneinander, Mülleimer brannten (denn SUVs waren immer noch keine gefunden worden), Fäuste landeten krachend in fremden Gesichtern und während Rico kein Wort herausbrachte, flog plötzlich Bello meterweit durch die Luft und landete donnernd auf Ricos Bühne.

„Ich hasse Katzen", keuchte er, aber Rico hatte nicht eine einzige Katze gesichtet. Nicht mal Rudi war vor Ort.

Hannes trat Rico ans Bein. „Nun mach endlich! Schnell!", stachelte er ihn an und Rico kramte seine Rede in Form eines Zettels hervor.

„Liebe Franzosen und Französinnen", stopselte er etwas ungelenk, das Mikrofon quietschte und hallte. „Dieser heutige Tag ist ein denkwürdiger Tag, denn er hält uns allen vor Augen, wer wir sind und warum wir zusammenhalten sollten."

Die prügelnde Masse hörte nicht wirklich zu, sogar das Mikrofon wurde von dem Kampfgetöse der Revolutionäre und Wildschweine übertönt.

Rico versuchte es daher ein wenig lauter. „FRANZOSEN UND FRANZÖSINNEN! BITTE – hört auf, euch zu verprügeln. Der Feind ist IN uns. WIR sind das Problem. Nicht immer die anderen. Die anderen sind nur so, wie wir sie uns vorstellen. Aber wer sagt, dass das wirklich so ist? Ich habe einen Traum: Ich möchte wachsen, so groß wie ein Mammutbaum, und ich –"

Ein Schuh flog frontal mit solcher Wucht gegen Ricos Stirn, dass er mitsamt seiner französischen Flagge, die während der Rede gänzlich unbemerkt geblieben war, von der Bühne kippte. Selbige wurde nun von der Meute nicht nur augenblicklich zerlegt, sondern auch in Brand gesetzt.

Gerade als Rico wieder zu sich kam, rannten sowohl Schwarzkapuzen als auch Wildschweine auf ihn und aufeinander zu. Jeder prügelte gegen jeden und so konnte er nicht mal ansatzweise seine Rede zu Ende bringen. Dieses Mal waren es selbst für Rico viel zu viele Gegner (waren es überhaupt Gegner?) und er wusste noch nicht mal, wer eigentlich gegen oder für ihn kämpfte.

Mühsam raffte er sich noch einmal auf, nur um gleich wieder am Boden aufzuschlagen, denn ein ganzes Rudel Wildschweine hatte ihn umgerannt. Kurz bevor er die Augen schloss, war es ihm, als würde alles wie in einem Film ablaufen. Die

Wildschweine, die Schwarzkapuzen, die hasserfüllten Gesichter, Bello, der aus dem letzten Loch bellte: „Ich hasse Katzen!" – alles schien sich wie in Zeitlupe vor ihm abzuspielen. Er wollte nach Hannes rufen, aber sein Mund wollte sich nicht mehr bewegen. Dann, kurz bevor er das Bewusstsein verlor, sah er aus dem Augenwinkel ein kleines Rehlein, das sich schnell vom Ort des Geschehens entfernte.

Dröhnendes Erwachen

Ein dumpfes Dröhnen erfüllte Ricos Kopf mit Schmerzen. Rudi hatte sich über ihn gebeugt und beschnüffelte sein Gesicht. Seine Katzenbarthaare kitzelten an Ricos Ohren. Langsam öffnete er die Augen und sah rot. Die rote Beleuchtung von Alis Hotel – und Rudis prüfenden Blick.

„Er lebt noch!", verkündete Rudi aufgeregt.

Rico lag auf einer Liege, Hannes, Rudi und Harald standen um ihn herum.

„Ich, ich … wo bin ich?", stöhnte Rico.

„Jean-Pierre! Du lebst!", wiederholte Hannes das Offensichtliche.

„Was ist denn passiert? Ich muss wohl von der Bühne gefallen sein. Wie war meine Rede? Kam sie gut an?"

Rico hatte offenbar einen Filmriss. Betretenes Schweigen erfüllte den Raum. Hannes konnte das nicht lange mit ansehen. Er musste ihm einfach die Wahrheit sagen.

„Jean-Pierre, es tut mir so leid", stotterte er weinerlich. „Ich fand deine Idee wirklich gut, aber die Leute wollten einfach nicht hören. Irgendwann hat dich ein Schuh am Kopf getroffen und Wildschweine sind über dich drüber gerannt. Es hat dich ganz schön erwischt."

„Jetzt weiß ich es wieder!" Rico fuhr von seiner Liege hoch. „Ich habe das Rehlein gesehen!"

„Du musst dich jetzt erst mal erholen!", machte Rudi unmissverständlich klar.

„Was meinst du, Harald?", fragte Hannes und er warf ihm einen vorwurfsvollen Blick zu.

„Ja, also, finde ich auch", antwortete Harald mit schuldbewusstem Schafsblick. „Hannes hat mir alles noch mal eindringlich erzählt. Wie ihr immer noch auf der Suche nach diesem Rehlein seid, wie wichtig dir das ist und wegen Frankreich und so

weiter. Zugegeben, das mit Frankreich habe ich nicht so sehr verstanden, aber es tut mir leid, dass meine Freunde dich nur benutzen wollten. Ich war mit diesem Matcha eh durch. Echtes frisches Gras ist so oder so das Beste, da kann Matcha nicht mithal-
ten. Außerdem steht der Frühling vor der Tür. Ich könnte definitiv frisches Gras gebrauchen."

„Ach, Harald, danke. Du bist ein echter Freund", erwiderte
Rico, der immer noch etwas betäubt war vom dumpfen Pochen
in seinem Kopf.

„Es war gar nicht so leicht, euch Verrückte aus diesem Chaos
rauszuholen", sagte Rudi stolz. „Aber Rudi wäre halt nicht Rudi,
wenn er das nicht könnte. Hab' mir schon gedacht, dass da was
schieflaufen wird", fügte er augenzwinkernd hinzu.

„Ich bin so froh, dass es dir gut geht, Hannes! Ich dachte
schon, dich hätte es auch schlimmer erwischt", sagte Rico, denn
er hatte gesehen, dass Hannes kaum einen Kratzer abbekommen
hatte.

„In dem Moment, als du von der Bühne gefallen bist, war
Rudi auch schon da. Ich hatte Glück."

„Jetzt müssen wir nur noch Peter finden!", warf Rico wieder
ein. „Wenn wir ihn finden, dann sind wir alle wieder zusammen
und dann müsste doch diese Theorie stimmen, dass jeder jeden
über ein paar Ecken kennt, und dann finden wir mein Rehlein."

Rudi warf Hannes einen kurzen Blick zu, rollte die Augen
und flüsterte: „Der Gorilla ist echt unsterblich verliebt.
Mannomann …"

Mit einem verschwörerischen Augenzwinkern gab Hannes
zurück: „Sei ein Freund, Rudi, wir kämpfen für dein Hotel und
du kämpfst für uns, damit wir dieses Rehlein finden. Ich habe
das Gefühl, dass das alles noch sehr gut für alle ausgehen wird."

Das sollte es zum Schluss tatsächlich, aber Rico brauchte noch
ein paar Tage Erholung, um sich wieder auf den Weg machen zu
können. Dann würde er erst Peter, den Bock, finden und schluss-

endlich sein geliebtes Rehlein. Jetzt, wo er so sehr dafür gekämpft hatte, ja um ein Haar einen heroischen Märtyrertod für
Frankreich gestorben wäre, war ihm die Anerkennung und
Liebe dieses Rehleins sicher. Jean-Pierre Gargouille, der Concierge aus Alis Hotel. Er, der für die Französische Revolution gekämpft hatte, stand endlich kurz davor, sein Rehlein wiederzufinden!

Wo ist Peter?

Um Peter zu finden, wollte die Gruppe dieselbe Herangehensweise nutzen wie bei der Suche nach Harald. Aber wer könnte ihn gesehen haben? Wen sollte man fragen? Die schwarzen Schafe unter dem Kommando des cholerischen Nashorns hatten Harald ohne Schwierigkeiten gefunden, aber Harald war auch selbst ein Schaf. Schafe kannten Schafe, aber keine Böcke.

Das Einzige, was Rico wirklich über seinen Freund Peter, den Bock, wusste, war, dass er auf nichts Lust hatte. Wo könnte sich also jemand hier in Berlin aufhalten, wenn er auf nichts Lust hatte?

Es war zum Verzweifeln. Keiner wusste Rat. Rudis Nashorntruppe hatte keine Ahnung, wo sich Böcke gerne herumtrieben, die schwarzen Schafe des cholerischen Nashorns wollte man gar nicht erst fragen, da sie höchstwahrscheinlich ebenso wenig Ahnung hatten. Nicht mal Hannes hatte eine Idee. Aber er machte einen Vorschlag, wie sie an brauchbare Informationen kommen könnten.

„Rudi, du als mächtigstes Tier von Neukölln und neuerdings auch Hohenschönhausen, du müsstest doch irgendeinen weisen Mann kennen, einen spirituellen Guru, einen Medizinmann und Nobelpreisträger in einem. Die pure Weisheit. Einen Mann, so weise, geistig so hoch wie ein – so wie ein Mammutbaum. Du musst uns helfen, so einen zu finden!"

Rudi überlegte lange und wanderte elegant auf und ab in seinem Katzenhotel. Die rote Beleuchtung ließ ihn wie einen gefährlichen Mini-Tiger wirken. „Gebt mir ein wenig Zeit zum Überlegen." Er machte eine lange Pause. Anscheinend inspirierte ihn die rote Beleuchtung und er wirkte nicht nur wie ein Tiger, nein, er fühlte sich wohl auch wie einer. Er fuhr raunend fort: „Es muss einen solchen Mann in Berlin geben. Hier gibt es alles. Und wenn es jemanden gibt, der so einen Mann finden kann, dann Ali, den mächtigen Katzenkuschelhotel-Besitzer."

Es vergingen einige Tage. Rico war ungeheuer ungeduldig. Wie lange sollte er denn noch warten?

Doch dann hatte Rudi endlich gute Nachrichten für sie. „Haus Schwarzenberg lautet die Antwort", sagte er. „Dort gibt es einen alten Vogel, er soll ein wenig durchgeknallt sein, aber enorm weise. Angeblich soll er über Mammutbäume Bescheid wissen und allem Spirituellen und Geistigen sehr verbunden sein. Ich wäre in der Lage, eine Audienz für euch zu arrangieren. Sein Name ist Antoine de Saint-Oiseau."

Rico wurde ganz weiß im Gesicht. Dieser Name klang so französisch, wie man es sich nur vorstellen konnte! Und die geistige Elite Berlins! Was für eine Chance! Er wurde ganz hibbelig. „Wann können wir ihn treffen?! Wann hat er denn Zeit?", sprudelte es förmlich aus ihm heraus.

„Also, was mir gesagt wurde, ist, dass Herr Saint-Oiseau immer am Wochenende Zeit für eine Audienz hat. Aber erst nach zehn Uhr vormittags. Also, morgen wäre Samstag, das wäre eure Chance."

Rico war begeistert und Hannes freute sich für ihn. Aber wäre der weise Franzose aus Haus Schwarzenberg wirklich in der Lage, Peter, den Bock, zu finden? Was hatte denn Weisheit mit dem Finden eines Bocks zu tun?

Rico wusste es nicht. Aber er hatte auch keinen besseren Plan. Manchmal ist es eben besser, einen schlechten Plan zu haben als gar keinen.

Dieses Mal sollten sie unverhofft auf dem richtigen Weg sein, auch wenn sie es (noch) nicht wussten.

Haus Schwarzenberg

Haus Schwarzenberg lag gleich in der Nähe des Hackeschen Marktes, in der Rosenthaler Straße. Hannes und Rico schlürften einen frisch gepressten Orangensaft, den sie sich auf dem Markt gekauft hatten, als sie den Eingang betraten.

Der führte sie in einen Hinterhof, besser gesagt einen Hinterhofgang, denn nur ein schmaler Weg lag vor ihnen, links und rechts befanden sich Gebäude. Die Wände waren voll mit bunten Graffitis und aufgeklebten Postern, dazwischen waren gekritzelte Sprüche zu lesen. Parolen und Kunstwerke verschwammen ineinander, kein Zentimeter der alten Mauern schien nicht für etwas Kreatives genutzt worden zu sein. Hannes war völlig begeistert. Rico war skeptisch. Sollten diese abgewrackten Gebäude der Wohnort eines der weisesten Vögel Berlins sein?

Sie waren jedoch noch nicht ganz angekommen. Ali hatte ihnen erklärt, sie müssten durch diesen Hinterhofgang hindurchgehen, um dann einen echten Hinterhof zu erreichen. Dort würde der Vogel bereits warten.

Sie passierten also einen weiteren Durchgang und erreichten nun tatsächlich den beschriebenen kleinen Hinterhof. Die Wände der Gebäude um sie herum waren grau und unrenoviert. Einzelne Pflanzen sprossen aus Mauerritzen und durchgerosteten Dachrinnen. Der Hinterhof war weitgehend leer, doch in der Mitte des kleinen Platzes stand er tatsächlich.

Rico war schockiert, Hannes hatte die Augen vor Furcht weit aufgerissen! Was war das?!

Da stand tatsächlich ein Vogel, aber er war wie eingefroren. Er sah aus, als bestünde er aus irgendeinem Blech oder Kupfer. Und er war riesig! Größer als Rico, der sich möglichst senkrecht aufrichtete, um dem Vogel in die Augen zu sehen.

Doch der bewegte sich nicht, nur seine geschlossenen Augen brachten seine geballte Weisheit zum Ausdruck.

Plötzlich passierte es! Ein fürchterliches Geräusch brachte den Vogel in Bewegung, er dampfte förmlich, seine Augen öffneten und schlossen sich, während seine Flügel anfingen zu flattern, als würde er gleich abheben wollen!

Dann krächzte eine furchteinflößende Stimme, überraschenderweise ohne französischen Akzent: „Wer weckt mich, Antoine de Saint-Oiseau, zu dieser frühen Morgenstunde?" Es war gerade zehn Uhr geworden.

Rico versuchte, eine gute Antwort zu geben: „Weiser Vogel, mein Name ist Jean-Pierre Gargouille. Mein Freund Hannes und ich ersuchen Sie, weiser Vogel, um einen französischen Rat. Ihre geistige Größe übertrifft ja bei Weitem noch Ihre körperliche, so wie man sich erzählt, und daher wären wir sehr dankbar für eine Audienz bei Ihnen."

„Das wird immer verwechselt", sagte der Vogel.

„Wie, was, wer wird verwechselt?", fragte Rico.

„Na, dass ich angeblich groß wäre. Ich stehe auf einem Sockel – sieht man das nicht?"

Ricos und Hannes' Blicke wanderten zeitgleich nach unten, und tatsächlich – der Vogel stand auf einem Sockel, der dieselbe Farbe hatte wie er, daher konnte man das leicht verkennen.

Trotzdem war er noch ziemlich groß, dachte sich Rico. Er versuchte, seinen Fehler zu überspielen: „Nun denn, Ihre geistige Größe ist so oder so deutlich wichtiger für uns. Werter Herr Vogel, wäre es möglich –"

„Quatsch!", unterbrach ihn der Vogel. „Schon wieder falsch. Ich bin gar kein Vogel. Ich bin ein Monster!"

Hannes und Rico sahen sich völlig entgeistert an. Ein Monster? Waren sie in Gefahr? War das überhaupt der richtige Hinterhof? Oder war alles umsonst gewesen und sie waren in eine riesige Falle getappt? Hatten die Nashörner sie hereingelegt? Oder wer hatte Ali diesen Tipp in Wirklichkeit gegeben?

Das Monster

D as Monster gab ihnen umgehend die Antwort: „Ihr seid schon richtig bei mir. Ich gelte als weises Monster. Ein weises Monster mit einem Vogel, um es genau zu benennen. Man sollte immer genau sein. Und auch genau hinsehen", sagte das Monster in Richtung Rico, der verschämt auf den Boden starrte, da er den Sockel des Monsters fälschlicherweise als Teil von ihm betrachtet hatte.

„Nun, wie dem auch sei – wie lautet eure Frage?", fragte das Monster.

„Er hat sich in ein Rehlein verliebt", platzte Hannes heraus. Rico wurde rot.

„Ja, stimmt doch! Jean-Pierre, sag es einfach direkt. Du hast dich in ein Rehlein verliebt und würdest es gerne wiedersehen. So. Und dafür ist er gefühlt um die halbe Welt gereist, ist ein echter Franzose geworden, hat eine Stelle als Concierge angenommen und jetzt fehlt ihm nur noch sein Rehlein. Und damit wir dieses Rehlein finden, brauchen wir unbedingt Peter, den Bock, denn nur mit ihm gemeinsam können wir es finden. Entschuldige, dass ich das jetzt so geradeheraus erklärt habe, Jean-Pierre, aber du musst bei einem weisen Vogel, pardon – Monster, auch mal zum Punkt kommen."

„Auf den Punkt kommen finde ich gut", sagte das Monster. „Ein Gorilla, der sich in ein Rehlein verliebt hat. Passt gut hierher, finde ich. Und ein Bock scheint der Schlüssel dafür zu sein, es wiederzufinden", ergänzte es grübelnd. „Aber alles hat seinen Preis, genau wie mein Rat. Ihr werdet mir etwas dafür geben müssen."

Rico war schon sprachlos davon, dass Hannes dermaßen direkt mit seinem eigentlichen Anliegen herausgeplatzt war, aber jetzt wusste er erst recht nicht mehr, was er erwidern sollte. Wollte das Monster etwa Geld von ihnen?

Als würde es das Fragezeichen von seinem Gesicht ablesen können, bekam er prompt eine Antwort: „Kein Geld ist notwendig, keine Sorge. Das wäre doch viel zu banal. Jeder, der hierherkommt, stellt eine Frage, die mehr als nur eine einfache, schnöde Antwort erfordert. Schließlich habt ihr das weiseste Monster Berlins aufgesucht. Das Zentrum der Erkenntnis. So etwas bezahlt man nicht mit schnödem Mammon. Wenn ihr also eine Antwort auf eine Frage bekommen wollt, müsst ihr mir mehr über euer Anliegen erzählen. Warum es so wichtig ist. Dann müsst ihr als Gegenleistung ein Kunstwerk in diesem Hinterhof hinterlassen, das nachfolgenden Fragenden ein Wegweiser sein soll. Also: Warum möchtest du diesen Bock finden? Was ist dein wahres Anliegen? Was hat es mit diesem Rehlein auf sich? Du musst mir immer die Wahrheit sagen, denn nur diese wird dich ans Ziel bringen."

Rico war nicht gut im Erklären. Aber er hatte ja noch die Rede in der Tasche, die er gemeinsam mit Hannes für den Kampf in Hohenschönhausen geschrieben hatte!

Also kramte er den Zettel hervor und legte los. „Also, ich würde es mal so ausdrücken: Liebe Franzosen und Französinnen. Kein Kampf und keine Revolutionen sind notwendig für ein Miteinander mit französischem Verstand. Ja, der französische, überlegene Verstand macht uns heute zu Franzosen. Wir schauen nicht auf andere herab, sondern behandeln alle als ebenbürtig und gleichberechtigt! Wir erheben unser französisches Antlitz voller Stolz, um voneinander zu lernen. Denn von jedem Franzosen können wir etwas lernen! Und jeder von uns! Keine französische Katze ist schlecht, weil sie eine Katze ist. Kein französisches Wildschwein ist schlecht, weil es ein Wildschwein ist. Kein französischer Kapuzenträger ist schlecht, weil er ein Kapuzenträger ist. Wir verurteilen niemanden, wir schauen auf niemanden herab, sondern wir sehen die Dinge, die jeder Einzelne gut macht, und wir schließen unsere Augen vor den Fehlern unserer Mitbürger und hoffen auch, dass sie uns unsere Fehler nicht zum Vorwurf machen. So wachsen und verstehen wir, bis wir so groß und stark sind wie ein Mammutbaum!"

Hannes musste einfach etwas ergänzen, denn er hatte die Befürchtung, dass Ricos geschwollene Rede, an der er auch ein wenig mitgearbeitet hatte, etwas zu unehrlich war. „Also, mein Freund Jean-Pierre hat sich, wie bereits erwähnt, in ein Rehlein verliebt, aber nicht in irgendeines, sondern in ein französisches, um das ehrlicherweise hinzuzufügen. Er war schon immer ein großer Bewunderer der französischen Kultur. Er wollte sich immer weiterentwickeln und ein besserer Gorilla werden."

Das Monster neigte sich ein wenig zu ihnen herab. „Der Zusammenhang erschließt sich mir noch nicht ganz", meinte es nachdenklich, schloss die Augen und erstarrte dann plötzlich.

Der Vogel

Rico und Hannes dachten schon, das Monster wäre endgültig eingeschlafen, weil ihr Plädoyer unverständlich und vielleicht auch zu banal gewesen war. Aber dann, nach einer gefühlten Ewigkeit, kam plötzlich ein Vogel zum Vorschein, der aus dem Maul des Monsters kroch.

„Guten Tag", krächzte er und die Stimme klang genauso wie die Stimme des Monsters von vorhin, nur, dass es nicht mehr so blechern hallte. „Ja, ich weiß, die Inszenierung ist etwas dürftig. Aber ich finde es eben spannend, die unterschiedlichen Reaktionen der Leute zu sehen, wenn ich als Monster oder als Vogel spreche. Daher starte ich immer gerne mit dem Monster und dann zeige ich mich erst richtig. Diese blecherne Hülle ist also nur ein Hilfsmittel. Sieht aber cool aus, finde ich!"

Rico war schon wieder sprachlos.

„Ich glaube, ich habe euch zwei verstanden. Ich habe eine Antwort für euch. Ich werde euch ein Gedicht vortragen, denn weise Worte müssen auch in eine entsprechende poetische Hülle verpackt werden." Der Vogel plusterte sich ein wenig auf, starrte sich selbst inszenierend in die Ferne, streckte einen Flügel aus und gab dann in bester Philosophenmanier von sich:

Jean-Pierre, mein Freund, du denkst, du glaubst,
und das ist wichtig, denn du irrst,
doch Glauben ist der erste Tipp,
danach kommt Wissen, Schritt für Schritt.

Dein Rehlein ist ein wichtiger,
und zugleich völlig unwichtig,
viel wichtiger als dieser Traum,
ist deine Seele, dieser Baum,

von dem du sprichst,

„das ist der Schlüssel!"
Und das ist der Preis:
Du pflanzt ihn hier, in diesem Hof,
und wirst mit mir ein Philosoph.

Den Bock findest du im Wald,
dort, wo du mit lärmendem Metall
einst aufgeprallt,
all deine Freunde verloren hast,
und doch wieder neu entdeckt
ein Feuer namens „Frankreich" machst.

Wieder fehlten Rico die Worte. Hannes war währenddessen damit beschäftigt, das Gedicht auf einem Zettel mitzuschreiben.

Der Vogel flatterte jetzt über den beiden. „Jean-Pierre", sagte er, „du musst immer ehrlich sein. Zu dir selbst und zu allen anderen. Du wirst wissen, wann das sein wird. Du wirst auch wissen, was du dann sagen musst. Es wird wie von selbst kommen. Mach dir keine Sorgen."

Wenn Rico nervös wurde, fiel ihm meist gar nichts mehr ein. Er wusste einfach nicht, was er sagen sollte.

Wie immer machte das Hannes ebenfalls nervös, daher sprang er Rico zur Seite, als er das Gedicht fertig zu Papier gebracht hatte. „Das war ein schönes Gedicht, lieber Herr Vogel. Sie meinen also, wir sollten in diesen Wald gehen, an die Stelle, an der wir abgestürzt sind?"

„Monster-Vogel", korrigierte der verrückte Philosoph. „Und ja, geht in den Plänterwald", fügte er hinzu. „Jetzt zerstört die Überraschung nicht weiter und fragt nicht so doof. Das entstellt die ganze Poesie, wenn ihr so konkret nachfragt. Ich bin mir sicher, dass ihr euren Bock dort findet. Vergesst nicht euer Kunstwerk, wenn ihr wiederkommt. Ihr müsst einen Mammutbaum mitbringen und ihn hier einpflanzen. Los, macht schon! Macht euch auf den Weg!"

Zurück zum Plänterwald

D ie ersten vereinzelten Sonnenstrahlen fanden nach langer Zeit ihren Weg durch die Wolken und schienen Hannes und Rico ins Gesicht. Rico blinzelte und hielt sich die Hand vor die Augen.

„Sind wir da?", fragt er Hannes ahnungslos, denn es hatte sich herausgestellt, dass nicht nur im Wald, sondern auch in Berlin mehrheitlich Hannes der Navigator war, und Rico, das eigentliche Alphatier, hatte das nie infrage gestellt. Warum musste auch immer ein Gorilla den Ton angeben?

„Fast", antwortete Hannes. „Wir machen einen kleinen Spaziergang."

Er hatte nämlich beschlossen, etwas früher im Treptower Park auszusteigen und den Spaziergang in den Plänterwald zu genießen. Laut Internet waren es nur fünfundzwanzig Minuten zu Fuß.

Genug Zeit, um mit Rico über die vergangenen Abenteuer ein klein wenig zu philosophieren. „Weißt du eigentlich schon, woher wir den Mammutbaum nehmen sollen, den dieser verrückte Monster-Vogel-Philosoph haben will?"

Rico guckte, als hätte ihn jemand bei einer Missetat erwischt. „Darüber habe ich mir noch gar keine Gedanken gemacht. Schon wieder ein Problem ...", ächzte er. Man merkte, dass ihm die letzten Tage nicht nur Kopfzerbrechen, sondern auch ganz schön Stress bereitet hatten.

„Ich bin mir sicher, du findest dein Rehlein, und dann machen wir erst mal Urlaub!", motivierte ihn Hannes und Rico deutete ein Lächeln an.

„Meinst du, dass es das alles wert war?", fragte Rico. Er war sich – so kurz vor dem Ziel – plötzlich gar nicht mehr so sicher, auf dem richtigen Weg zu sein.

„Klar doch!", korrigierte ihn Hannes umgehend. „Das war das beste Abenteuer in meinem Leben! Und es ist ja noch nicht mal vorbei! Schau mal, was wir alles erlebt haben und wie schön das Wetter heute ist!" Hannes tanzte einmal im Kreis, in der Hoffnung, damit Ricos Laune etwas zu verbessern.

Rico grummelte: „Was meinte der verrückte Vogel eigentlich damit, dass ich ein ‚Feuer namens Frankreich' mache? Vielleicht verbrennt mein Traum ja einfach so ohne eine Chance und alles war vergebens."

Hannes war ein wenig schockiert, dass sein Freund plötzlich so pessimistisch war. Und überrascht, dass er sich das Gedicht eines völlig durchgeknallten Vogels so genau gemerkt hatte. Rico war eigentlich nicht besonders gut darin, sich Dinge zu merken.

„Hm, nun ja, vielleicht meinte er damit ja, dass du ein Feuer der Revolution, einen Durchbruch schaffst, eine allumfassende Lebensweisheitsformel namens Frankreich, die du hier auf deiner Reise kennengelernt hast und deren volle Wirkung du nun schon bald erfahren wirst?!"

„Nicht schon wieder eine Revolution", stöhnte Rico. „Davon hatte ich schon genug. Aber Lebensweisheitsformel klingt gut."

Hannes klopfte Rico auf die Schulter. Die beiden Freunde gingen den Uferweg an der Spree entlang. Die Sonne strahlte, der Frühling war endlich da.

Vielleicht hatte Rico Angst davor, endlich an seinem Ziel angekommen zu sein. Oder zumindest fast. Aber vielleicht ahnte er auch schon, dass alles ganz anders verlaufen würde, als er es sich erhofft hatte. Und dass „das Feuer namens Frankreich" nicht das Feuer werden sollte, das er sich gewünscht hatte.

Wiedervereinigung

PETEEEER", schrie Rico.
„PEEEEEETEEEEEEEEER", schrie Hannes. Sie waren mittlerweile im Plänterwald angekommen, aber von Peter war hier keine Spur.

Sie waren den Uferweg entlanggelaufen, an einer Insel vorbei und an so einigen Booten, bis sie schließlich rechts von sich immer mehr Bäume sahen und Wanderwege, die in den Wald führten. Sie hatten sich noch nicht sehr lange vorgekämpft, als sie schon anfingen, nach Peter zu rufen. Beide hatten ein sehr mulmiges Gefühl. Schließlich kamen sie der Stelle ihres Absturzes immer näher.

„Wollen wir?", fragte Hannes, bevor er weiter in den Wald hineinging.

Rico stimmte stillschweigend zu und über knisternde und knackende Zweige stolperten die beiden hinein in den Plänterwald.

„PEEEETEEER", rief Rico wieder – und da sah er es. Ein glänzendes Metallstück lag zwischen den Zweigen. Ein Teil ihres Flugzeuges!

Hannes und Rico sahen sich gegenseitig betroffen an. Irgendwie hatten beide ein schlechtes Gewissen. Nur sprachen sie es nicht aus.

Hannes unterbrach schließlich das schuldbewusste Schweigen. „Meinst du, Peter hat es geschafft? Der Arme! Wir haben nicht mal versucht, nach ihm zu suchen! Wir haben ihn überredet, mit uns zu kommen. Und Justin und Jacqueline – die haben wir auch noch gezwungen, uns zu fliegen."

„Justin und Jacqueline waren nicht unserer Freunde", korrigierte Rico, aber er fühlte sich trotzdem schlecht.

„Das macht es nicht wirklich besser, oder?", entgegnete Hannes.

„Damals war ich noch nicht so … französisch wie heute. Ich habe viel gelernt."

„Würdest du es heute anders machen?"

Rico überlegte lange. „Ja, das würde ich. Man kommt nicht einfach so nach Frankreich. Man muss hier auch richtig ankommen. Und angekommen – das bin ich erst jetzt, nachdem ich viel gelernt habe. Wenn wir Justin und Jacqueline finden, werde ich mich als Erstes bei ihnen entschuldigen, ich werde mein Versprechen einlösen und ihnen Frankreich zeigen. Jetzt, wo ich es viel besser kenne. Bei Peter werde ich mich auch entschuldigen. Auch dafür, dass wir ihn erst nicht gesucht haben."

Hannes war mit Ricos Worten zufrieden. Zumindest halfen sie, das schlechte Gewissen ein wenig zu verdrängen.

„PEEEEETEEER", rief Rico wieder. Ein Rascheln ließ ihn plötzlich aufhorchen. Woher kam es?

Rico und Hannes liefen schneller, versuchten, den Geräuschen zu folgen. Hannes fiel hin, aber Rico packte seinen Arm und half ihm sofort wieder auf die Beine. Schneller und schneller lief das eingespielte Team zwischen den Bäumen hindurch und bemerkte gar nicht, dass sie an der seltsamen Kulisse eines alten Jahrmarktes vorbeirannten. War da überhaupt noch ein Rascheln? Hatte es überhaupt jemals eines gegeben? Rico kamen nun Zweifel. Was machten sie eigentlich hier?

„Ich fasse mal zusammen", sagte er und irgendwie überkamen ihn mehr und mehr Ärger und Wut und Trotz in einem Gefühl auf einmal. „Wir sind in den Wald gelaufen, in dem wir auch abgestürzt sind, weil uns ein verrückter Vogel mit französischem Namen, aber ohne französischen Akzent prophezeit hat, dass wir hier einen Bock finden, von dem wir glauben, er hätte den entscheidenden Hinweis auf ein wunderschönes Rehlein, das – wie wir einfach mal annahmen – auch hier nach Berlin gereist ist, weil es nach Frankreich wollte. Wie wahnsinnig bin ich eigentlich!? Nein, ich bin nicht wahnsinnig. Ich bin einfach nur dumm und leichtgläubig. Ich dachte immer, ich wäre so wie die

Franzosen. Aber ich glaube, ich wusste gar nicht, wer ich überhaupt bin. Ich mache mich hier zum Idioten! Ich war mal ein stolzer Gorilla, aber ich habe mich hier zum Affen gemacht!"

„Jean-Pierre! Sag so was nicht", beschwichtigte Hannes. „Du darfst jetzt nicht aufgeben!"

Rico setzte sich auf den Boden. „Das war doch alles eine Schnapsidee! Wir werden Peter hier nie finden!", beschwerte er sich.

Doch aus dem Dickicht kam eine Antwort, mit der die beiden nicht gerechnet hatten: „Doch, das habt ihr schon."

Peter

Da stand er vor ihnen. Lässig, ein wenig Gras kauend und skeptisch dreinblickend. Peter. „Ihr habt mich ganz schön erschreckt. Ich dachte erst, ihr seid dämliche Touristen, die mich streicheln wollen. Darauf hätte ich überhaupt keinen Bock gehabt!", sagte er entschlossen.

Rico lief völlig unerwartet auf Peter zu und drückte ihn.

„Was ist denn mit dir passiert?", ätzte der Bock. „Zu viel Magic Popcorn erwischt, oder was?"

Rico sammelte sich wieder und versuchte, zu alter Gorilla-Würde zurückzufinden. „Na ja, also, ich dachte schon, du wärst tot. Wir wollten zusammenhalten, denn nur zusammen können wir auch etwas erreichen. Hier in Frankreich, an diesem Ort, an dem alles möglich ist. Da brauchen wir einander!"

Der Bock sah ihn nur skeptisch an.

„Wie geht es dir?", versuchte es Hannes mit ein wenig mehr Empathie.

„Alles okay, ich hatte hier eigentlich meine Ruhe, bis – na ja, bis jetzt. Aber jetzt seid ihr ja da. Ich hatte ursprünglich gar keine Lust, auf diese Flugreise mitzukommen, aber in dieser verrückten Stadt des Geldes, da wollte ich auch nicht bleiben. Und du, Jean-Pierre, hattest ja dann so geschwärmt von Frankreich und diesem ganzen Blabla, da bin ich halt mitgekommen. Den Absturz habe ich einigermaßen unbeschadet überstanden. Ich hatte nur keine Lust, hier in der Stadt rumzulaufen. Da bleibe ich dann doch lieber im Wald."

Rico und Hannes waren sprachlos. Peter war die ganze Zeit hiergeblieben?

„Okay, verstehe. Peter, was würdest du persönlich denn gerne machen oder sehen wollen? Wir haben wahnsinnig viel über Berlin erfahren – wir können dir alles zeigen!", sagte Hannes motivierend.

„Na ja, also, ich würde einfach mal hierbleiben. Ich habe eigentlich gar keinen Bock auf zu viel Veränderung. Hauptsache, ich bin diesen lästigen Bürojob losgeworden. Schulden habe ich ja jetzt keine mehr. Das mit dem Geld in der Stadt des Geldes hat sich ja erst mal erledigt. Und im Wald komme ich eigentlich am besten klar. Jedenfalls werde ich mir nie mehr eine Freundin anlachen, die ständig Geld ausgeben will. Darauf habe ich gar keinen Bock mehr." Peter schloss zufrieden die Augen, schnupperte die frische Luft und genoss die leichte Brise, die die Baumwipfel rascheln ließ.

„Ähm", sagte Rico. „Also, ehrlich gesagt – wir bräuchten deine Hilfe."

Der Bock öffnete ein Auge – aber nur eines! – und grummelte. „Bei was denn? Ich fliege garantiert nie wieder."

Rico blickte etwas verunsichert drein.

Hannes sprang ein: „Keine Sorge, fliegen musst du nicht mehr. Du musst uns nur helfen, jemanden wiederzufinden. Es gibt da so eine Theorie. Jeder kennt irgendwie jeden über sechs Ecken. Wenn man also sechs seiner Kontakte zusammenbringt, dann findet man auch jeden anderen auf der Welt. Denn jeder kennt jemand, der jemanden kennt, und dann kann man eben auch eine spezielle Person finden, die man gerade sucht. Wir sind jetzt insgesamt fünf: Jean-Pierre, Harald, Rudi, du und ich und dann nehmen wir einfach noch Amir dazu. Die rufen wir jetzt an und trommeln alle zusammen. Wir treffen uns hier im Plänterwald und dann finden wir das …", er machte eine kurze Pause, „… dann finden wir die Person, die wir suchen."

Der Bock hatte das eine Auge auch wieder geschlossen. „Meinetwegen", grummelte er. „Wenn ihr mich danach damit wieder in Ruhe lasst. Ich habe überhaupt keinen Bock, irgendwen zu suchen."

Rico und Hannes sahen sich zuversichtlich an. Die anderen waren bereits auf dem Weg. Das Geheimnis des Rehs würde bald gelüftet werden.

Die kleine Welt

E s war, als hätte sich ein Geheimbund getroffen. Sie hatten sich alle in einem Kreis um Rico versammelt: Hannes, Amir, Rudi, Harald und Peter.

„Isch komme mir bisschen blöd vor, Alta – was stehen wir da rum, oda was?", sagte Amir. „Isch habe das nischt so rischtisch verstanden, was wie wer wen kennt oder was über sechs Leute? Was is' des?"

„Das kommt von einem sehr intelligenten Wissenschaftler", sagte Rico selbstsicher. „Jeder kennt jeden über sechs Ecken."

„Aha – und jetz? Wen suchen wir denn, oda was?", entgegnete Amir etwas trotzig.

Hannes antwortete: „Wir helfen Rico damit. Er sucht jemanden, der ihm sehr wichtig ist."

Amir war damit zufriedengestellt und wollte auch nicht zu viel meckern.

„Ähm … und jetzt?", flüsterte Hannes Rico zu.

„Ach ja", sagte Rico. „Also, wie funktioniert das jetzt? Ähm – kennt jemand ein Rehlein?"

„Ein Rehlein, oda was? Kenn' isch keins", sagte Amir.

Rudi, Harald und Peter wussten ebenfalls nichts. Keiner kannte ein Rehlein, auch wenn sie zu sechst im Kreis standen. Rico hatte nämlich gedacht, dann würde so eine Art Wunder passieren. Er war verzweifelt und enttäuscht. Da gab es doch diese Theorie! Wieso funktionierte das nicht?!

Weil sie die Enttäuschung und Niedergeschlagenheit in Ricos Gesicht sahen, blieben alle noch eine Weile – auch wenn jedem klar war, dass das nicht funktionieren würde. Aber sie wollten Rico nicht einfach so sitzen lassen.

Kurz bevor sie endgültig aufgaben, forschten Rico und Hannes noch einmal nach – im Internet!

Sie suchten und suchten und endlich – fanden sie einen Artikel über Stanley Milgram. Der Name der Theorie lautete: „Das Kleine-Welt-Phänomen".

Und jetzt verstanden sie – dass sie vorher nichts verstanden hatten. Denn die Theorie behauptete nicht, dass man einfach nur sechs Personen versammeln musste, um jede beliebige andere zu finden. Sie behauptete einfach nur, dass jeder jeden über sechs Ecken kennt. Wenn also Rico einhundert Personen kennen würde (nur einmal angenommen), dann würde jede von diesen einhundert Personen wieder einhundert andere Personen kennen. Irgendeine von diesen einhundert Personen hätte wieder viele Kontakte und über sechs Ecken könnte man dann theoretisch jemanden kennen, der jemanden kennt, der jemanden kennt, der jemanden kennt, der jemanden kennt, der dann diese eine Person schon mal irgendwo getroffen hat. Von „Finden" war also nirgends die Rede. Wie leichtgläubig Rico doch gewesen war! Und wie blind!

Rico sackte zusammen und ließ sich auf den Boden fallen. Eine Träne kullerte ihm über die Wange. Das war nicht unbemerkt geblieben. Alle waren ein wenig peinlich berührt – einen Gorilla hatte man noch nie weinen gesehen.

„Ich weiß schon, was ihr jetzt denkt", sagte Rico mit gebrochener Stimme. „Ein heulender Gorilla, was ist das denn für ein Gorilla!? Aber es ist mir egal. Ich bin traurig und es interessiert mich nicht, ob ich ein Affe bin oder nicht, wie ich aussehe oder nicht. Wer mich für was hält oder nicht." Ein tiefes Schluchzen kam leise aus seiner Kehle und Hannes war sehr betroffen. Seinen Freund hatte er noch nie so niedergeschlagen gesehen.

„Was bin ich nur für ein Idiot", schluchzte Rico mit tiefer Stimme und keiner traute sich, irgendetwas zu sagen, denn immerhin war Rico immer noch ein Gorilla. Ein verliebter, schluchzender, aber eben ein Gorilla. Dabei war Rico gar nicht mehr gefährlich. Eigentlich war er es nie gewesen. Er hatte es auch nie sein wollen. Aber jetzt hatte er seinen „inneren Gorilla" endgültig an den Nagel gehängt. Es war ihm einfach nicht mehr wichtig, wer er war.

„Ich habe eine Idee, Jean-Pierre!", sagte Hannes plötzlich und sprang auf. „Der verrückte Vogel", er kramte seine Notizen heraus, „der sagte doch:

Jean-Pierre, mein Freund, du denkst, du glaubst,
und das ist wichtig, denn du irrst,
doch Glauben ist der erste Tipp,
danach kommt Wissen, Schritt für Schritt.

Der wusste doch, dass du nicht weißt, wo das Rehlein ist. Dass du nur daran glaubst. Und dass das fürs Erste auch mal gar nicht schlecht ist. Du hast etwas geglaubt und hast gelernt, dass es nicht gestimmt hat. Trotzdem hat es dich zu deinen Freunden geführt. Das ist doch schon mal ein erster Schritt. Jetzt ist die Frage, wie du an Wissen kommst, denn –"

Ein gespenstisches Quietschen unterbrach Hannes' Rede. Stärkerer Wind war aufgekommen und dunkle Wolken zogen auf.

Hannes' Augen wurden groß vor Angst und die anderen sahen sich besorgt um. Das gespenstische Quietschen wurde lauter und anhaltender. Alle fürchteten sich und wären am liebsten vor diesen unheimlichen Geräuschen geflohen, aber Rico, inspiriert von Hannes' Ansprache, hatte sich schon anders entschieden. Nicht einfach aufzugeben, war jetzt das Gebot der Stunde. Keine Angst vor etwas zu haben, das man nicht kannte.

„Kommt mit", sagte er entschlossen. „Wir finden jetzt heraus, woher dieses Geräusch kommt, bevor wir nur *glauben*, dass es gefährlich ist."

Der Jahrmarkt

Zielstrebig folgte Rico den furchterregenden Gespensterlauten durchs Gebüsch, bis plötzlich ein hoher Metallzaun vor ihm aufragte. Ohne lange zu überlegen, drückte er ihn zur Seite und verschaffte sich und seinen Freunden Zugang zu einem abgesperrten Areal.

Lauerte dort eine Gefahr? Gab es einen guten Grund, diesen Bereich mit einem Zaun zu blockieren? Rico dachte nicht darüber nach. Der verrückte Vogel hatte doch selbst gesagt, er käme Schritt für Schritt ans Ziel, also war er einfach seinem Instinkt gefolgt.

Rudi, Harald, Peter, Hannes und Amir – sie alle taten ihm den Gefallen und folgten Rico stumm. Langsam kamen sie dem schrillen Geräusch näher. Es klang, als würde Stahl an Stahl reiben.

Dann sah Rico es endlich. Vor ihm lag eine Art Zelt und unter diesem Zelt standen riesige Tassen – groß genug, damit sich ein oder sogar zwei Erwachsene hineinsetzen konnten. In der Mitte des Zeltes stand eine riesige Teetasse, mindestens drei Meter hoch, in einem schrillen Gelb. Ein bisschen erinnerte es Rico an diese verrückte Halle 2, in der er damals in der Stadt der Arbeit eine Ente hätte töten sollen.

Aber die besten Zeiten schien dieses Zelt bereits hinter sich zu haben. Alles war mit Graffiti beschmiert, wahllos waren Sprüche oder Namen hinterlassen worden, die Farbe war an vielen Stellen abgebröckelt. Es sah fast so aus, als handle es sich hier um ein ehemaliges Jahrmarktfahrgeschäft. Hier funktionierte aber schon lange nichts mehr.

Und es stimmte. Sie befanden sich auf dem Gelände eines einstigen Jahrmarktes. War es hier etwa zu einer Revolution gekommen? Dem Geräusch weiter folgend fanden sie nun endlich auch die Ursache des gespenstischen Geräusches. Es war ein altes Riesenrad, das sich durch den Wind quietschend drehte, auch wenn es schon längst nicht mehr mit Strom versorgt wurde.

„Von da oben könnten wir uns doch einen super Überblick verschaffen!", rief Hannes begeistert.

„Voll krass, Alter, isch bin noch nie Riesenrad gefahren oder was, weil meine Mama hat misch nie gelassen, weil sie meint, des isch zu gefährlisch und so was", rief Amir, auf seine Art ebenfalls begeistert. Rudi war sowieso immer für ein Abenteuer zu haben.

Nur Peter und Harald waren nicht begeistert. Peter meinte: „Meine Güte, was sollen wir denn da oben?" Und Harald fügte hinzu: „Ich stelle mich hier in die Sonne und warte, bis ihr wieder zurück seid. Werde ein bisschen Gras kauen derweil." Das klang nach einem fairen Deal.

Der Rest der Gruppe lief also direkt zum Riesenrad und Rudi war der erste, der in einen der Waggons sprang. Als Kater war er hier definitiv in seinem Element.

Als Rico hineinsprang, wackelte das Riesenrad ein wenig, aber es schien immer noch stabil genug. Für einen Moment hielt er inne – wenn das Riesenrad seinetwegen einstürzen würde, wäre das schon etwas peinlich. Aber es hielt.

Allerdings nahm er nun ein neues Geräusch wahr. Es klang ein wenig nach Schreien oder Stimmen, aber der Wind und das quietschende Gerüst des Riesenrads übertönten es. Er erinnerte sich an den Traum, den er ganz zu Beginn der Geschichte gehabt hatte, kurz bevor er George Hampelton traf. Damals hatte er auch seltsame Geräusche wahrgenommen und war diesen dann hoch auf den Baum gefolgt. Irgendwie erinnerte das Riesenrad ihn an das Ganze, denn warum auch immer: Er hatte ähnlich große Angst wie damals! Womöglich war das auch nur der ganzen Szenerie geschuldet: der verlassene Park, der eigentlich mal ein Platz für Spaß und Unbeschwertheit hätte sein sollen, das gespenstische Quietschen des Riesenrads, das sich durch den

Wind wie von Geisterhand bewegte, und diese seltsamen Stimmen, von denen er nicht wusste, ob es Schreie waren oder vielleicht etwas anderes ... Grauenvolles.

Doch Rico beschloss, seine Furcht zu überwinden. Wie ein echter Gorilla sprang er einfach auf den nächsten Waggon, um sich den Geräuschen zu nähern. Er überholte Rudi und sprang weiter von Waggon zu Waggon. Und dann sah er die Ursache des Geräusches – und vielleicht ein weiteres Puzzlestück auf seinem Weg.

Das ganze Team

Ich hab' dir doch gleich gesagt, dass wir nicht einsteigen sollen, Mädchen!"

„Hast du nicht, du hast gesagt, du bist dir nicht sicher, weil du ein alter Feigling bist!"

„Ich hab' gesagt, ich bin mir nicht sicher und es wäre mir lieber, wenn wir nicht einsteigen – das hab' ich gesagt!"

„Das ist doch das Gleiche! Jetzt dreht sich dieses Ding und macht SEHR laute Geräusche, da ist es doch nur eine Frage der Zeit, bis wir hier großen Ärger bekommen!"

Rico lugte über den Rand der obersten Gondel und erspähte unter sich die zwei Streithähne. „Justin und Jacqueline?", rief er überrascht.

Die beiden Schimpansen-Bruchpiloten starrten nach oben.

„Äh, ich kann das erklären!", sagte Justin.

„Nein, ICH kann das erklären!", widersprach Jacqueline.

„Nein, ich! Der Sprit war alle, weil SIE", er deutete auf Jacqueline, „mir nicht rechtzeitig Bescheid gesagt hat."

„ICH hätte ihm rechtzeitig Bescheid gegeben, wenn er sich nicht zehnmal verflogen hätte. Der hatte keine Ahnung, wo Frankreich liegt, Mann, der is' ABSOLUT untauglich als Pilot!"

„Ich bin NICHT … ALSO MOMENT MAL!" Justin war außer sich vor Ärger. „Jacqueline, irgendwann ist es auch mal gut! Ich habe mich nicht zehnmal verflogen, das Kartenmaterial war unter aller Kanone!", verteidigte er sich.

„STOPP!", sagte Rico. „Alles gut – wir sind nicht wütend auf euch, weil das Flugzeug abgestürzt ist." Noch während er es aussprach, dachte Rico noch einmal darüber nach. Eigentlich könnte er ja schon sauer auf die beiden sein. Ihm wurde bewusst, dass er noch nie darüber nachgedacht hatte seit dem Absturz. Aber nach all dem Erlebten war es ihm egal. Doch das schlechte Gewissen dieser Affen sollte noch einmal genutzt werden. Vielleicht konnten ihm die beiden ja helfen?

„Na ja, also, wir sind nicht sauer auf euch, aber wir brauchen jetzt eure Hilfe. Schließlich seid ihr uns was schuldig", korrigierte er sich daher ein wenig. „Wir sind auf der Suche nach einer bestimmten Person. Wir wissen, ehrlich gesagt, nicht sicher, ob sie hier in Berlin ist, aber jeder, der uns beim Suchen hilft, bringt uns einen Schritt näher an die Lösung. Wir haben ein paar Hinweise, dass sich diese Person tatsächlich hier aufhält."

„Ooookay", sagte Justin.

„Alter, können wir bitte erst mal von diesem Riesenrad runter? Das wackelt alles und ich habe echt Höhenbammel", entgegnete Jacqueline.

„Das heißt Höhenangst, nicht Höhenbammel", korrigierte sie Justin.

„Ist mir egal, wie das heißt, ich will hier runter."

Rico griff einen der Schimpansen mit dem linken Arm und einen mit dem rechten und sprang die Riesenradgondeln nach unten, eine nach der anderen, während Jacqueline schrie: „Das Ding wackelt! Das Ding wackelt!! Wir werden alle steeeerben!"

Rico belehrte sie eines Besseren und die beiden hatten schnell wieder festen Boden unter den Füßen. Hannes war ebenfalls wieder nach unten gehoppelt und so standen sie alle wieder zusammen und vereint zusammen.

„Das ganze Team!", schwärmte Hannes.

„Alle wohlauf." Rudi musterte die neu Dazugekommenen.

Amir ging schnurstracks auf Justin und Jacqueline zu. „Brauchst du Job, ihr zwei, oda was? Kannst du einsteigen, Amir organisiert alles."

„Danke, Amir, lass uns das später machen", bremste ihn Rudi. „Helft mal erst Jean-Pierre, sein Rehlein zu finden."

Und wieder waren alle Augen auf Rico gerichtet.

Der räusperte sich. „Also, ich komme gleich mal zum Punkt. Wir suchen ein Rehlein. Habt ihr eines gesehen?"

„Ne, haben wir nicht", antwortete Jacqueline direkt.

„Ach Quatsch, Jacqueline, was sagst du denn da? Wieso wissen wir, dass wir keines gesehen haben? Wissen wir doch noch gar nicht! Der hat uns grade 'nen Job angeboten, MANN EY!"

„Ja und? Was macht das für einen Unterschied? Ich kenn' kein Rehlein, aber ich nehm' den Job!"

„O Mann! Es ist zum Haareraufen!" Hilfesuchend wandte sich Justin an die anderen. „Ey, sagt mal ehrlich – könntet ihr mit ihr arbeiten? Man kann doch nicht einfach sagen: ‚Ne, ich hab' keine Ahnung, ich kenn' kein Rehlein', wenn einem einer gerade einen Job dafür angeboten hat. Da muss man doch erst mal NACHDENKEN. Vielleicht haben wir es ja DOCH gesehen? Aber mit dem Nachdenken hast du's ja nicht so, weil du ständig damit beschäftigt bist, mir Vorwürfe zu machen oder mich wahlweise zu beleidigen –"

Rico winkte ab: „LEUTE, haltet mal die Luft an! Entweder ihr habt es gesehen oder nicht. Wenn nicht, dann hat das auch keine negativen Folgen. Das mit dem Absturz – Schwamm drüber!"

Justin atmete erleichtert auf. „Das heißt, du machst uns nicht platt, oder was, Gorilla?"

„Jean-Pierre", antwortete Rico genervt. „Ich heiße nicht einfach nur Gorilla."

„Okay, Jean-Pierre", sagte Justin.

„Und jetzt?", fragte Hannes leise.

Rico setzte sich langsam und schweigend in Bewegung und Hannes und das Team folgten ihm. Alle waren ein bisschen niedergeschlagen und bemitleideten Rico. Sie verließen das Gelände des alten, verfallenen Jahrmarktes und es schien so, als wären sie am Ende ihrer Reise angelangt. Schließlich hatten sie alle ihre Freunde wiedergefunden. Nur die Spur des Rehleins hatten sie verloren.

Rico war todunglücklich. Dieser verrückte Vogel war eben einfach nur ein verrückter Vogel gewesen. Oder ein Monster. Egal! Er war überhaupt nicht weitergekommen. Aber dieses Mal war er nicht wütend deswegen. Er war allgemein viel weniger wütend als früher. Vielmehr hatte er das Gefühl, ein neuer Rico geworden zu sein, nachdem er so viel erlebt hatte. Statt Wut hatte sich Trauer in sein Gesicht geschlichen und eine einzelne Träne bahnte sich ihren Weg seine dunklen Wangen hinab.

Sie waren auf eine schmale Straße gelangt und hinter ihnen hupte eine alte Ziege, die auf einem Moped saß.

„Mitten auf der Straße! Typisch! Lauter Affen! Einer sicher dümmer als der andere!", meckerte sie laut vor sich hin.

Justin und Jacqueline ließen sich das natürlich nicht bieten. „Ey, du Ziege, was willst du denn von uns?!", schrie Jacqueline und Justin fügte verteidigend hinzu: „Ich klopp' dich gleich von deinem Mini-Motorrad, du!"

Die alte Ziege fühlte sich nur bestätigt. „Typisch Affen! TYPISCH Affen, aber ihr wärt nicht die ersten, die mir Schläge androhen und sich nicht benehmen können. Mich einfach mit ‚alte Ziege' ansprechen! Was für eine Frechheit! Wenn ihr mir nicht aus dem Weg geht, dann fahr' ich euch einfach um!", sagte sie und wie zum Beweis ließ sie ihren kleinen Mopedmotor aufheulen, um ihre Drohung zu unterstreichen.

Rico streckte seinen Arm aus und schubste Justin und Jacqueline sanft zur Straßenseite. „Es tut uns leid, die Dame", sagte er. „Meine Freunde hatten einen anstrengenden Tag."

Justin sah Jacqueline an: „Freunde???"

Die alte Ziege war etwas überrascht von Ricos Verhalten, aber es schien ihr sichtlich den Wind aus den Segeln zu nehmen. Sie beschleunigte langsam und sah Rico im Vorbeifahren etwas skeptisch ins Gesicht. Unerwartet blieb sie plötzlich abrupt stehen. Sie legte den Rückwärtsgang ein und rollte noch mal zurück, um Rico erneut ins Gesicht zu sehen.

„Weinen Sie?", sprach sie Rico an. „Ich habe noch nie einen Gorilla weinen sehen!"

„Ja", sagte Rico. „Ich bin traurig. Ich habe jemanden verloren, den ich noch gar nicht für mich gewonnen hatte. Ich habe nicht mal eine Chance bekommen. Deswegen bin ich unendlich traurig. Ich habe so viel Hoffnung und Energie in diese Sache gesteckt. Da habe ich gar nicht bemerkt, was für ein dummer und naiver Gorilla ich wohl war. Vielleicht sind wir Affen ja alle so. Vielleicht haben Sie recht." Dieses Mal stand kein „französisches Kalkül" hinter Ricos Worten. Er sagte einfach, was er dachte und wie er sich fühlte. Er wollte ehrlich sein. Das war ja auch ein Rat des verrückten Vogels aus dem Haus Schwarzenberg.

„Wen suchen Sie denn?", sagte die alte Dame.

„Ein Rehlein", sprang Hannes ein, denn Rico war so traurig, dass er gar nichts mehr entgegnen konnte.

„Ein Rehlein?", sagte die Dame. „Och, die sind so süß! Eines besuche ich regelmäßig. Es war ein wenig verängstigt. Hab' ihm ab und zu was zu essen mitgebracht, denn es erschien mir ein wenig schwach. Ich glaube, es war ein bisschen verletzt. Aber es wollte nicht so viel Kontakt, es ist noch nicht so lange hier in Berlin. Kennt sich wahrscheinlich auch nicht aus. Wollte aber nicht mehr Hilfe. Hey, vielleicht ist das ja euer Rehlein?"

Rico blinzelte, wischte sich die Tränen aus dem Gesicht und fragte aufgeregt: „Wie, wo – wo ist es denn? Wo könnten wir es finden?"

„Es geht immer frühmorgens zur Plansche – hier im Plänterwald. Ist gar nicht weit weg. Ach, was soll's! Ich bring' euch hin. Ihr scheint ja doch ganz liebenswürdig zu sein."

Rico wollte gar keinen neuen Mut fassen, um nicht schon wieder enttäuscht zu werden, wenn es sich dann doch wieder als falsche Fährte herausstellte. Aber sein Herz klopfte bis zum Hals. Und seinen Freunden ging es nicht anders. Denn insgeheim fieberten alle mit ihm mit.

Rico in Love

Die Ziege war doch viel freundlicher, als alle gedacht hatten. Die „Plansche" war eine Lichtung im Plänterwald mit einer großen gepflasterten Fläche in der Mitte, die von verschiedenen Springbrunnen in Form von steinernen Tieren eingerahmt war. Im Sommer lachten und spielten Kinder dort, während ihre Eltern sich am Rand der Fläche über wichtige und unwichtige Dinge unterhielten.

„Das Rehlein kommt immer frühmorgens um fünf, wenn es noch leer ist. Ich wünsche euch viel Glück, vielleicht klappt es ja", sagte die alte Dame und sauste auf ihrem Moped davon.

Rico und sein Team gingen erst mal nach Hause. Morgen wollten sie zu zweit noch einmal kommen. Nur Hannes und Rico. Aber letztendlich waren die anderen so neugierig (sogar Justin und Jacqueline), dass sie alle mitkommen wollten.

Als sie sich früh am nächsten Tag auf den Weg machten, war es noch dunkel. Die Stadt schien zu schlafen. Rico lief natürlich vorneweg, dieses Mal kannte er seinen Weg. Und dann legten sie sich auf die Lauer. Ein Rehlein wollte man schließlich nicht mit einer ganzen Truppe Affen erschrecken.

Dann, endlich, geschah das Wunder. Das Rehlein war ein wenig spät dran. Aber als sich die ersten Sonnenstrahlen durch den wolkenverhangenen Himmel kämpften, sah Rico aus der Ferne ein zartes, kleines Etwas kommen. Es war ihm, als würde die Zeit stillstehen. Ein letztes Mal.

Hannes flüsterte Rico zu: „Lass mich mal machen, ich bin nicht so groß und furchteinflößend. Und Diplomatie hab' ich ja auch gelernt, hier in Frankreich."

Rico nickte ihm zu. Für ihn klang es, als würde Hannes in Zeitlupe mit ihm sprechen.

Hannes hoppelte behutsam auf das Rehlein zu – nicht zu nah, aber so weit, dass es ihn bemerken musste. Es schreckte kurz auf.

Es sah den Hasen, stufte ihn aber nicht als Bedrohung ein und wandte sich wieder der Wasserstelle zu.

Hannes hoppelte ein wenig näher und bemühte sich dann um einen ersten Kontakt. „Hallo, Rehlein – schönes Wetter, hm?", sagte er unbeholfen.

Das Rehlein trank weiter.

Hannes kam ein wenig näher. Er war nur noch zwei Meter entfernt.

Es ignorierte seine Anwesenheit.

„Du, öhm – hast du mal eine Sekunde?", fragte er vorsichtig.

„Oh, 'allo, isch 'abe disch gar nischt mehr bemerkt", sagte das Rehlein ein wenig überrascht mit starkem französischem Akzent. „Es tüt mir leid, aber isch kann die 'iesige Sprake nischt so güt spreschen", fügte es hinzu.

„Ach was! Ich kann dich sehr gut verstehen", ermutigte Hannes es. „Also, meine Freunde und ich, wir würden gerne mit dir sprechen. Keine Sorge, wir tun dir nichts. Meine Freunde sehen nur etwas … sagen wir: etwas gewöhnungsbedürftig aus. Es sind ganz verschiedene Leute, zwei Affen, ein Kater, ein Bock, ein Schaf und ein Gorilla."

„Ein Gorilla?", fragte das Rehlein etwas erschrocken.

„Keine Sorge. Dieser Gorilla findet dich ganz großartig und würde gerne etwas mit dir reden. Diese Art von Gorilla ist weder gefährlich, noch wird er dir jemals etwas antun. Im Gegenteil, der würde alles für dich tun. Und wenn ein Gorilla der Freund eines Hasen ist, dann ist es definitiv ein ganz spezieller Gorilla", ergänzte Hannes überzeugend.

„Na gut – isch laufe nischt weg", sagte das Rehlein und fügte warnend hinzu: „Aber bitte ehrlich sein!"

Hannes gab Rico ein Zeichen und endlich war es so weit. Rico wagte sich aus seinem Versteck und auch seine Freunde zeigten sich. Er ging langsam auf das Rehlein zu, war aber viel zu aufgeregt, um irgendetwas Vernünftiges von sich zu geben. „Jean-

Pierre Gargouille mein Name. Äh, Concierge à la le-cro-
bag?", faselte er etwas wirr. „Isch meine, isch Jean-Pierre Gargouille und sö. Isch, öh, Frankreisch. Du, isch. Isch meine, wir
könnten essen gehen – Dinär? Monetär kein Thema. Isch lade
disch ein. Isch. Öhm." Rico verstummte.

Das Rehlein guckte skeptisch. „Isch spresche Deutsch, kein
Problem, wärtär 'err. Sie müssen nischt versuken, Französisch
zu spreschen. Abär Gargouille ist ja ein lüstiger Name – Wasser-
speiär, hihi."

Rico hustete etwas pikiert. Fuhr dann aber mit hochrotem
Kopf unbeirrt fort: „Ich würde dich gerne nach Hause bringen.
Wollte ich immer. Deswegen bin ich auch nach Frankreich geflo-
gen. In diese wunderschöne Stadt namens Berlin. Um dich zu
treffen in deiner Heimat und um dich zum Essen einzuladen.
Weil du, also ich, also wir … also ich … beziehungsweise, also
ich finde dich ganz, ganz, äh, schön", säuselte er verliebt.

„Was meinst dü denn mit Frankreisch?", fragte das Rehlein
verwundert. „Isch komme gar nischt aus Frankreisch. Isch
komme aus där Schweiz, dort sprischt man zwar Deutsch und
Französisch, aber Frankreisch ist das definitiv nischt. Aber Berlin ist nischt so weit weg von dort. Isch wollte eigentlisch wieder
dorthin zurück, aber isch finde diesen Wald hier eigentlisch
ganz in Ordnung. Isch hatte nur absolut keine Lüst, in dieser
Stadt der Arbeit zu bleiben. Deswegen bin isch eusch Revolutionären nachgelaufen – so nennen eusch jedenfalls alle. Isch bin
eusch ab und zü gefolgt, aber isch wollte nischt schon wieder in
solsche Revolutionen verwickelt werden, also 'abe isch misch
'ier im Wald versteckt."

Rico war völlig durch den Wind und konnte keinen klaren
Gedanken mehr fassen.

Hannes sprang für ihn ein. „Also, du kommst aus der
Schweiz, möchtest aber erst mal in Frankreich bleiben, ja?",
wollte er noch mal festhalten.

„Was meint ihr denn immär mit Frankreisch? Wir sind doch in Deutschland, das ist doch nischt Frankreisch. Berlin ist die 'auptstadt von Deutschland. Isch war zwar wirklisch nischt gut in där Schulä, aber in Erdkünde 'ab isch aufgepasst."

„Wir sind wo?", sagte der Bock aus dem Hintergrund.

„In einem Land namens Deutschland", antwortete Rico geistesgegenwärtig, aber mit leerem Blick.

„Deuschland? Klar, Deuschland. Wo sonst?", sagte Amir.

„Oui, genau, Deutschland", sagte das Reh.

„Ist mir eigentlich egal", sagte der Bock, „ich hatte eh keine Lust auf Frankreich."

„Haha", lachte das Reh und musterte den Bock. „Isch 'atte auch nie Lust auf Frankreisch oder Deutschland oder so. Isch liege am liebsten einfach nür in der Sonne und ruhe misch aus. Isch war so froh, aus diesär Stadt der Arbeit flüschten zu können. Isch bin bei eug als blindär Passagier im Gepäckraum mitgeflogen. Tüt mir leid dafür, wollte isch übrigens noch sagen. Vielleischt sind wir ja deswegen abgestürzt? Wir waren wohl ein wenisch übersetzt. Aber isch musste einfag dort weg. Isch 'atte su viel Geld ausgegeben und musste meine Schulden bezahlen."

Der Bock guckte etwas verlegen. „So ging's mir auch", sagte er.

Das Rehlein schnupperte ein wenig in seine Richtung. „Du bist ein schöner Bock, finde isch", sagte sie überraschend direkt.

Das erste Mal erlebte Rico den Bock motiviert. Er stand ganz gerade und war sichtlich angetan von der Rehlein-Dame.

„Danke, du bist aber auch ein ziemlich heißer Feger", antwortete er viel direkter, als es Rico lieb war.

„Haha", lachte das Rehlein. „Isch bin süper-'eis!", betonte sie und zwinkerte dem Bock zu.

„Isch 'ätte Lust, einfach nur in där Sonne zu liegen und misch gern'aben zu lassen", sagte sie zum Bock. Der zwinkerte zurück

und die beiden schlenderten ohne große Worte und ohne Widerstand Ricos auf ein etwas weiter entferntes Fleckchen, um sich
dort in die Sonne zu legen.

„Deutschland", sagte Rico, immer noch mit leerem Blick.

„Es tut mir leid, Jean-Pierre, das ist tatsächlich Deutschland.
Aber vielleicht ist das ja alles nicht so wichtig, findest du nicht?",
beschwichtigte Hannes.

„Deutschland", sagte Rico wieder mit ausdruckslosem Gesicht.

Hannes hatte Angst, er würde noch verrückt werden. „Lieber
Jean-Pierre, du ruhst dich jetzt am besten ein wenig aus. Das war
alles ein bisschen viel."

Ricos Zeitlupenempfinden war definitiv vorbei. Dafür drehte
sich jetzt alles. Der Himmel, die Bäume, die Wiese, seine Freunde,
Frankreich beziehungsweise Deutschland. Und plötzlich krachte
der Boden auf sein Gesicht. Zumindest aus Ricos Perspektive.
Rico war längs umgefallen, als hätte man einen Mammutbaum
mit einer Motorsäge einfach umgelegt.

Der erste Sonnentag

Es war der erste richtige Frühlingstag im neuen Jahr, die Sonne schien und es wirkte, als habe es der Himmel über Berlin endlich geschafft, die grauen Wolken ein für alle Mal zu verdrängen, sie zu zerreißen und das herrliche Sonnenlicht für immer durchzulassen.

Rudi hatte sich entschieden, ein großes Fest auf dem Tempelhofer Feld, einem stillgelegten Flughafen mitten in der Stadt, zu geben, mit allen Hotelangestellten und Vertriebsmitarbeitern. Essen und Trinken ging aufs Haus. Er hatte nicht gespart und einen riesigen Grill organisiert. Er hatte das auch getan, um die betrübliche Stimmung zu vertreiben, die von Ricos Situation ausging, denn seine Geschichte hatte sich unter allen Hotelangestellten herumgesprochen. Alle litten ein wenig mit, besonders seine engen Freunde. Denn insgeheim hätte es ihm eigentlich jeder gegönnt, dass er endlich sein Rehlein fand und mit ihm bis ans Ende seiner Tage ein Happy End erlebte.

Aber dem war nun nicht so. Rico war völlig depressiv. Er saß, oder besser gesagt: lag, halb auf dem Boden. Seine Concierge-Mütze hing schief. Er war zutiefst beschämt. Er konnte es nicht glauben. Er hatte nicht mal gewusst, in welchem Land er war. Ein paar Einheimische hatten ihm dann auch noch mal seine mitgebrachte Postkarte erklärt. Der Berliner Funkturm würde nur so ähnlich aussehen wie der Eiffelturm in Paris. Paris! Wie hatte er das nur nicht wissen können! Diese große Stadt in Frankreich hieß Paris, nicht Berlin. Wie peinlich das alles war!

Hannes setzte sich neben ihn. „Jean-Pierre, es tut mir – ehrlich – so leid! Ich –"

„Ach, lass gut sein, Hannes", unterbrach ihn Rico. „Ich war ein totaler Idiot. Und du hast es mir ja eh immer durch die Blume gesagt. Dieser ganze Wahnsinn mit Frankreich. Concierge werden. Für nichts!"

„Willst du immer noch nach Frankreich?", fragte Hannes vorsichtig. „Es soll schön sein dort."

„Ich weiß es nicht. Ich glaube, nicht. Es ist bestimmt schön dort, aber wahrscheinlich auch ganz anders, als ich es mir vorgestellt habe. Das ganze Leben ist anders, als ich es mir vorgestellt habe. Ich dachte, das Leben wäre eine popelige Postkarte!"

Hannes schwieg und grübelte. Im Hintergrund erklangen die ersten Töne aus den von Rudi organisierten Lautsprechern. Er holte ein paar Getränke und setzte sich wieder schweigend neben Rico. Beide dachten intensiv über alles nach, was sie hier erlebt hatten. Was sie gelernt hatten.

Mittlerweile dröhnte die Musik bis zu ihnen, aber Rico nahm sie gar nicht wahr. Vor seinen Augen spielte sich seine ganze Reise, alles, was er erlebt hatte, noch einmal wie in einem Film ab.

Hannes erinnerte sich derweil an seinen Magic-Popcorn-Traum. Rico sollte ihm helfen, eines Tages sein größtes Kunstwerk zu schaffen. Sein wichtigstes. Auch wenn der Traum sehr wirr gewesen war und nur aus metaphorischen Andeutungen bestanden hatte, wusste Hannes, er musste jetzt seiner Intuition folgen. Jetzt war der richtige Zeitpunkt, alles aufzulösen.

Die Party hatte noch gar nicht richtig angefangen, da packte er Rico am Arm. „Wir haben noch etwas zu erledigen, Jean-Pierre!", sagte er entschlossen.

Mammutbäume

Unbedingt wollte Hannes zurück zum Haus Schwarzenberg. Es würde ihm gefallen, hatte er zu Rico gesagt und auf ihn eingeredet, damit er endlich mitkam. Von der Feier würden sie nicht viel verpassen, denn erstens hatte Rudis Belegschaft gerade erst angefangen, zweitens würden sie sicher ausgiebig und lange feiern und drittens war mit dem niedergeschlagenen Rico sowieso nicht an Party zu denken.

Hannes ging also schnurstracks und ohne Umwege hinein in den alten Hinterhof am Hackeschen Markt, Rico im Schlepptau. „Jean-Pierre, manchmal ist die Wahrheit nicht so einfach zu erkennen. Manchmal können wir sie nicht sehen, obwohl wir direkt davorstehen", sagte er beschwörend. Er schien zu wissen, wovon er sprach, und machte auf Rico einen sehr entschlossenen Eindruck.

Sie standen direkt vor dem Monster-Vogel und warteten auf Audienz.

„Wer weckt mich, Antoine de Saint-Oiseau, zu dieser frühen Morgenstunde?", krächzte es wieder aus der blechernen Monsterskulptur und die Augen schlossen und öffneten sich, während die Flügel anfingen zu rudern. Es war sechzehn Uhr.

Rico war nicht mehr so beeindruckt.

Der Vogel ließ die Show dieses Mal auch sein und kam direkt heraus. „Ach, ihr zwei schon wieder", krächzte er. „Ist es jetzt so weit?", fragte er Hannes.

Rico guckte ein wenig verärgert. Was sollte diese ganze Aktion? Sie hatten zwar das Rehlein gefunden, aber bestand der krächzende Vogel jetzt auf seinem schnöden Mammutbaum als Gegenleistung für seine zweifelhafte Beratung? Was hatte er denn von der ganzen Aktion? Nichts! Es wäre besser gewesen, er hätte den Bock und das Reh nicht gefunden! Es war ja offenbar nicht genug, dass das Rehlein ihn nicht mochte. Nein! Der doofe Bock musste ihm seine Herzensdame auch noch ausspannen!

Und das Rehlein packte sogar noch eins drauf: Wieso musste er unbedingt vor all seinen Freunden erfahren, dass sie gar nicht in Frankreich waren?! Seine ganze Reise, seine ganze Hoffnung, wurde als Blödsinn entlarvt. Sein Ruf ruiniert! Er war zutiefst blamiert!

Hannes versuchte sich zu sammeln. Es fiel ihm nicht leicht, aber wenn nicht jetzt, dann könnte er es nie auflösen.

„Jean-Pierre", sagte er so sanft und verständnisvoll, wie er nur konnte. „Vom ersten Moment an war ich beeindruckt von deiner Lebensenergie, von deinem Willen, von deinem Ehrgeiz, von deinem Mut. Ich kann so viel von dir lernen. Ich bin manchmal so ein Angsthase! Übrigens auch jetzt gerade im Moment. Denn ich habe Angst, wenn ich dir alles erzähle, dann bist du wütend auf mich. Aber lass es mich versuchen."

Rico hatte ein riesiges Fragezeichen im Gesicht. Hannes hatte Angst vor ihm?

Hannes fuhr fort. „Du warst besessen von Frankreich. Du hast gedacht, alles, was aus Frankreich kommt, ist einfach wahnsinnig toll. Das Rehlein, die Stadt, alles. Aber irgendwie waren deine Kraft und dein Antrieb auch unglaublich beeindruckend. Ich wollte unbedingt mit dir auf diese Reise gehen. Als ich meinen Magic-Popcorn-Traum hatte, da habe ich davon geträumt, ein großes Kunstwerk zu vollbringen. Das größte Kunstwerk, das man für eine Person schaffen kann. Eines, das ihn so beeindruckt, dass er seine *Einstellung* ändert und damit auch sein Leben. Dieser Jemand in meinem Traum – das warst du!"

Rico hörte stumm zu. Er konnte seine eigenen Gefühle nicht mehr zuordnen. Aber er war nicht wütend. Nur neugierig. Denn er hatte immer gewusst, von Hannes konnte er etwas lernen. Auch wenn er nur ein kleiner Angsthase war.

„Erzähl, Hannes", ermutigte er seinen Freund.

„Also, um ehrlich zu sein, wusste ich selbst auch nicht genau, wo wir waren. Aber nach einer gewissen Zeit war mir klar: Wir sind nicht in Frankreich. Wir sind in Deutschland. Aber du hast nicht aufgehört, von diesem Rehlein zu reden, von Frankreich, und auf deiner Suche haben wir es zwar nicht gefunden, dafür aber so viele andere wichtige Dinge. Ich habe durch dich so viel erleben können. Weil du dich nach vorne gewagt hast. Auch wenn ‚nach vorne' nicht der richtige Weg war, *dein* Rehlein zu finden.

Das mit dem Monster-Vogel, das haben wir, ehrlich gesagt, nur inszeniert. Er heißt auch nicht Antoine de Saint-Oiseau, aber wir dachten, der Name könnte dir gefallen. Aber weise ist er trotzdem, er ist in bestimmten Kreisen in ganz Berlin bekannt. Wir haben ihn auch um seinen Rat gebeten. Damit du auf uns hörst. Damit du an deine Freunde denkst, Jean-Pierre – ohne deinen Ehrgeiz hätten wir sie nie alle wiedergefunden. Denn deine Freunde – die sind der Schlüssel zu deinem Rehlein. Nicht zu diesem, das du kennst. Aber zu einem, das du eines Tages kennenlernen wirst. Und Frankreich. Frankreich hast du schon in dir, Jean-Pierre – ohne auch nur einen echten Franzosen wirklich zu kennen. Denn die sind auch nicht so viel anders als wir."

Der Vogel versuchte, noch einen weiteren Vorteil der ganzen Sache aufzuzeigen, denn auch er hatte ein wenig Angst, dass Rico ihm ein paar Federn ausrupfen könnte. „Also, die gute Nachricht ist, du musst keinen Mammutbaum herbringen, lieber Jean-Pierre. Das ist ein Geschenk deines Freundes an dich. Ich hoffe, er gefällt dir, schau mal, hinter dir." Er deutete auf einen kleinen Mini-Baum, der anscheinend recht frisch neben einem Pflasterstein des Hinterhofes gepflanzt worden war.

„Das ist ein Mammutbaum?", fragte Rico laut und runzelte die Stirn.

„Das ist ein Baby-Mammutbaum", antwortete Hannes. „Eines Tages wird er so groß sein, dass du seine Wipfel kaum erkennen kannst. So groß wirst auch du sein."

„Ich bin ausgewachsen", meckerte Rico.

„Ja, natürlich", krächzte der Vogel. „Physisch können wir nicht unendlich wachsen. Aber geistig, mein Freund."

„Ich wusste nicht, dass wir schon Freunde sind", grummelte Rico wieder etwas beleidigt.

„Jetzt musst du nur noch eines tun, Jean-Pierre", fuhr der philosophische Monster-Vogel unbeirrt fort. „Du musst dich entscheiden, ob das für dich ein echtes Kunstwerk ist oder nur Blödsinn. War das alles für dich eine ganz unglückliche Geschichte mit unglücklichem Ausgang oder konntest du dadurch wachsen – wie ein Mammutbaum? Und weil alle aus Alis Hotel mit dir mitgefiebert haben, wäre es gut, ihnen zu sagen, ob es für dich nun ein Happy End ist oder nicht. Denk darüber nach, mein Freund."

Alles lag also jetzt in Ricos Hand. Ob es ein Happy End gab oder nicht. Würde Rico seinen „französischen Weg" fortführen, einen Weg ohne Wut und Überheblichkeit?

Tanzen

Für Rico war die Antwort klar. Natürlich hatte er sich das Ende dieser Geschichte etwas anders vorgestellt. Aber Hannes hatte recht und er hatte sich nie in ihm getäuscht. Auch wenn er manchmal ein wenig kritischer gegenüber anderen war. Denn nachdem sich George Hampeltons wahrer Charakter offenbart hatte, hatte er beschlossen, in Zukunft besser hinzusehen, wer seine Freunde waren. Bei Hannes hatte er allerdings nie Zweifel gehabt.

„Was soll ich den Leuten denn jetzt sagen?", fragte er Hannes auf dem Rückweg.

„Sei einfach du, Jean-Pierre. Um ehrlich zu sein, jeder hat mitbekommen, dass du ein wenig geweint hast. Um ehrlich zu sein: wie ein Schlosshund. Ich glaube, es war in ganz Neukölln zu hören. Nachdem sich das mit deinem Rehlein aufgeklärt hatte, lagst du erst mal über eine Stunde lang flach auf dem Boden und hast nur geheult. Später, als wir heimkamen, an der Hotelbar von Alis Hotel ... wie gesagt: Das hat ganz Neukölln mitbekommen. Du hast – um ehrlich zu sein – auch ein klein bisschen zu viel getrunken. Ich musste dich mit zwei anderen auf ein Zimmer tragen. Aber es ist ja nicht so, dass dich die Leute nicht mögen, Jean-Pierre. Amir zum Beispiel – der hat mir gesagt, dass er auch mal so war wie du. Nur war für ihn Deutschland damals das Wunderland und Berlin die Heilige Stadt, in der alles super sein musste. Und er hatte eine latente Vorliebe für Schwerverbrecher. Er fand diesen Lebensstil unwiderstehlich."

„War Amir auch in ein Rehlein verliebt?", fragte Rico.

„Das weiß ich nicht, aber das wäre eine gute Frage an ihn", lachte Hannes.

Sie waren mittlerweile wieder auf dem Tempelhofer Feld angekommen. Die Party war in vollem Gange. Amir stand auf der Bühne und sang einen etwas schiefen Karaoke-Song. Sogar die Nashörner waren gekommen. Rudi hatte sich offenbar hinter den

Kulissen endgültig auf ein Friedensabkommen einigen können. Die „französische Diplomatie" hatte hier sicher einen guten Beitrag geleistet.

Auch wenn alle beschäftigt waren mit Essen, Trinken, Tanzen und schiefen Karaoke-Songs, richteten sich alle Blicke auf Hannes und Rico, als sie auftauchten. Der engste Freundeskreis um Rudi herum war ja komplett in Hannes' Plan eingeweiht und so etwas sprach sich natürlich in der Belegschaft herum.

„Hey, Jean-Pierre", rief Harald, das Schaf. Er war ein wenig enttäuscht, dass das Gras auf dem Tempelhofer Feld nicht so frisch war wie erhofft. „Geht's wieder?", fügte er hinzu.

Rico lächelte gequält.

Amir schrie durch das Mikro von der Bühne (er schien schon ein paar Bierchen getrunken zu haben): „Heeeeey, Altaaa, Jean-Pierre, komms du rüber auf Bühne, wir machen krasse Mucke!"

Hannes schubste Rico nach vorne. „Komm schon, Jean-Pierre, mach mit!"

Ricos Herz raste. Das war ihm alles so peinlich. Aber eines wollte er dieses Mal richtigstellen. Wenn er auf eine Bühne ging, ging es nicht immer nur um Revolution. Es ging nicht immer nur um seinen Vorteil, um ihn persönlich oder um sein Rehlein. Es war Zeit, seinen Freunden zu zeigen, dass er ein echter Freund sein konnte und wollte.

Zögerlich stieg er auf das kleine Holzpodest, auf dem Amir immer noch schief, aber gut gelaunt seinen Song zum Besten gab.

„Heyyyy, Jean-Pierre, jetz bisch du dran, Großer", brüllte er etwas zu laut ins Mikrofon und drückte es Rico in die Pranke.

Da stand er nun. Ein Mikrofon in der Hand und eine ganze Menge an Leuten vor ihm. Jemand drehte die Musik leiser, denn alle waren schon gespannt, was er sagen würde. Auch die, die nicht so viel von seiner Reise mitbekommen hatten, waren durchaus interessiert, denn sein lautstarkes Heulen war wirklich

nicht zu überhören gewesen und einen heulenden und verlieb-
ten Gorilla sah man nicht alle Tage. Würde dieser seltsame Affe
also wieder anfangen zu weinen?

„Ich ...", sagte Rico, „... ich bin nicht immer ehrlich gewesen
zu euch. Zu meinen Freunden. Zu mir selbst." Sein Herz klopfte
wie verrückt. War das überhaupt interessant für die Angestell-
ten aus Alis Hotel? „Ich heiße eigentlich gar nicht Jean-Pierre.
Ich heiße Rico." Er wartete ein wenig und sah ein leichtes Staunen in Hannes' Gesicht. Gefolgt von einem Lächeln.

Er fuhr fort: „Ich habe meinen echten Namen nie gemocht.
Aber eigentlich ist es nur ein Name. Und Berlin ist nur eine Stadt.
Häuser und Straßen. Und viele unterschiedliche Leute. Alle mit
Hoffnungen. So wie auch ich mit Hoffnungen hierhergekommen
bin. Und so wie ihr auch eure eigenen habt. Manchmal erfüllen
sich Hoffnungen nicht oder es wird eben nicht so, wie man es
sich vorgestellt hat. Aber manchmal sind wir eben auch schon
am Ziel und nur zu blind, um es zu erkennen. Ein Freund hat
mir geholfen, mein bester. Er hat mir geholfen zu verstehen, dass
mein Frankreich hier ist und jeder ein Franzose sein kann. Also
nicht so ein richtiger Franzose, sondern ein, ähm, also ..." Er
stöpselte ein wenig herum, um sich dann doch wieder zu fassen.
„Berlin liegt für mich in Frankreich! Auch wenn wir nicht in
Frankreich sind!", gab er nun wieder mit größerer Überzeugung
von sich.

„Sind wir denn nicht in Frankreich?", sagte Justin etwas zu
laut, sodass es alle hören konnten, denn alle hatten stumm und
andächtig Ricos Worten gelauscht.

„Mann! Nein – hat er doch gesagt! Haben wir doch gestern
alles erfahren. Passt du denn nie auf?!", sagte Jacqueline. Als sie
merkten, dass es relativ leise geworden war und aller Augen auf
sie gerichtet waren, liefen sie rot an. Justin sagte etwas lauter:
„Ähm, Jean, äh, Rico: Weiter, bitte, weitermachen!"

Rico lächelte ein kleines bisschen. Auf eigentümliche Art und Weise fühlte er sich bereits viel besser. Spontan rief er ins Mikrofon: „Ich will heute mit euch tanzen, ist die Musik schon aus, oder wie, oder was?"

Locco, das cholerische Nashorn, brüllte laut: „WAS ISSE DAS E FÜR EINE KRASSE PARTY! MACH E MAL E MUSIK AN!"

Amir ließ sich das nicht zweimal sagen und drehte die Lautsprecher auf. Alle kamen zusammen, als eine E-Gitarre erklang. Der Sänger brüllte ins Mikrofon:

Keine Zeit für
Eitelkeit, wir
stehen im Licht und
sehen uns zu, wir

spiegeln uns in Bilderkunst
und suchen uns im Nebeldunst,

wir sehen uns stehen,
wir sehen uns warten,
wir sollten gehen.

„Bist du wirklich in Tanzlaune?", rief Hannes Rico zu, um die laute Musik zu übertönen.

„Ich glaube, das ist der einzige Weg", rief Rico zurück. Dann fügte er hinzu: „Ich muss lernen zu tanzen. Meine Beine zu bewegen. Ich muss mich gehen lassen, offen sein, treiben lassen. Es ist mir egal, wer mit dabei ist – auch wenn ich mich nicht mit allen wohlfühle. Aber niemand muss perfekt sein. Ich muss nicht der Beste sein. Kein *Franzose*. Meine Freunde müssen auch nicht perfekt sein. Aber ich, ich muss anfangen zu tanzen, Hannes. *Wir* müssen anfangen zu tanzen."

Als die Sonne über dem Tempelhofer Feld unterging, tanzten unsere Helden immer noch.

Nachwort

Wenn man eines von Tieren lernen kann, dann ist es, dass sie ihre Ziele mit aller Kraft und Energie verfolgen. Niemals würde ein Löwe auf die Idee kommen, sein Rudel zu ignorieren, heute einfach mal „Pause zu machen" oder in Selbstmitleid zu versinken.

Doch ganz besonders die Liebe scheint eine Antriebskraft zu sein, die Tier und Mensch gleichermaßen inspiriert. Der Kugelfisch zum Beispiel steckt unglaublichen Aufwand in seine Suche nach einer Partnerin. Er beeindruckt sie durch wunderschöne Kunstwerke im Sand, die in einer Tiefe von fünfundzwanzig Metern einen Durchmesser von bis zu zwei Metern erreichen. Wie ein lebender 3-D-Drucker drückt der Kugelfisch wunderschöne geometrische Muster in den Sand. Das Zentrum seiner Kreise schmückt er mit zerkleinerten Muscheln oder kleinen Steinen aus, um ihnen die Krone aufzusetzen.

Manchmal kann die Liebe ungeahnte Kräfte in Tieren wecken. Aber auch in uns Menschen. Manchmal ist sie flüchtig und scheint nur dafür da zu sein, eine weitere Stufe auf der Treppe zu erklimmen, die uns irgendwann zu innerer Ruhe führt, wenn wir endlich wissen, wer wir sind, für was wir stehen und wohin wir gehen wollen.

Rico hat alles falsch gemacht und gleichzeitig auch alles richtig, denn eines Tages hat er einfach beschlossen aufzubrechen.

Oder, um es mit den Worten des spanischen Musikers El Kanka zu sagen:

Que vivir es parecido a bailar un vals. – Das Leben ist wie Walzertanzen.

Stehen Sie auf und tanzen Sie!

Dank

Für Kritik und Ermutigung, Korrektur und Zuspruch: Achim & Cornelia Maier, Adrian Schulz, Tabitha & Derek Inman, Hans-Peter Krämer, Michael Mahler, Wanda Dziak.

Hörbuch erhältlich ab 2021 bei Audible, Amazon und iTunes